KB160750

DENTAL MANAGEMENT OFFICER

치과경영관리사

김경진 지음

군자출판사

치과경영관리사

경영이론

첫째판 1쇄 인쇄　2021년 01월 12일
첫째판 1쇄 발행　2021년 01월 22일
첫째판 2쇄 발행　2022년 02월 10일

지 은 이　김경진
발 행 인　장주연
출 판 기 획　한수인
책 임 편 집　이경은
편집디자인　신지원
표지디자인　신지원
발 행 처　군자출판사
등록 제 4-139호(1991. 6. 24)
본사 (10881) 파주출판단지 경기도 파주시 회동길 338(서패동 474-1)
Tel. (031) 943-1888　Fax. (031) 955-9545
홈페이지 | www.koonja.co.kr

ISBN 979-11-5955-637-1
979-11-5955-636-4 (세트)

정가 25,000원

약력

편저자 김 경 진

- Washington University in St. Louis, MBA
- Texas 주립대 경제학 석사
- 서울대학교 대학원 경영학 석사 (재무관리 전공)

저서

- '사례로 쉽게 배우는 기업가치 평가', 율곡출판사
- '사례로 쉽게 배우는 M&A', 율곡출판사
- '신용분석사 1부, 2부 문제풀이', 율곡출판사
- 경영지도사 재무관리, 와우패스

강의

- 산업은행, 국세청, 신용보증기금, 롯데, GS건설, 현대종합상사 등 다수 기업 출강

머리말

우리나라의 소득이 높아지고 선진국대열에 합류하면서 국민들은 의료서비스에 많은 기대를 하고 있습니다. 높아진 국민들의 눈높이에 맞춰서 의료서비스도 제공되어야 합니다. 대학 병원 등 종합병원이나 상급의료기관들은 업무에 있어 분업화를 이루어 '고객 만족'의 개념을 의료현장에 도입했습니다. 그러나 국민 대다수가 이용하는 의원급 혹은 개인병원에서는 환자의 눈높이에 맞지 않는 의료서비스를 제공하는 사례가 빈번하며, 이로 인한 환자와 병원 간의 분쟁이 자주 발생합니다. 이러한 현실에 비추어 볼 때 의료서비스를 제공하는 병원의 담당자는 병원이 비영리기관일지라도 고객 만족을 실현해야 한다는 것을 인지해야 합니다.

본서는 병원, 의원 등 다양한 기초의료기관에서 근무하는 병원 관계자를 위해 병원을 찾는 고객에게 만족을 주고, 의료기관의 운영을 효율적으로 할 수 있는지, 또한 의료기관이 운영될 수 있는 최소한의 이윤을 창출할 수 있는지에 대한 방법을 제시하고 있습니다. 과거와 같이 단순히 환자와 의료진과의 일방적인 의료서비스가 아니라, 경쟁이 치열한 의료환경에서 환자를 유치하기 위해서는 환자에 대한 만족을 끊임없이 제공해야 합니다. 병원에서 업무를 하는 많은 관계자들도 환자만족을 위해서는 경영에 대한 개념을 숙지하고 이를 실무현장에서 활용하여야 합니다. 경영학은 다양한 분야에 있어 기초 개념과 실용적인 행동을 제공해 주지만, 병원이라는 특수한 환경을 고려하여 경영에 대한 일반이론뿐만 아니라 병원에 맞는 특수상황에 대한 이론도 제공해야 합니다.

본서는 총 10장으로 구성되어 있습니다. 1장에서는 경영에 대한 기본개념과 이러한 기본개념이 병원이라는 환경에서 어떻게 응용될 수 있는지 그 방법을 제시하였습니다. 2장에서는 본격적으로 의료경영을 도입하여 의료현장에서 고객만족, 조직의 효율적 운영들을 위해 어떠한 것들이 필요한지 알아보았습니다. 3장에서는 병원경영이 어떠한 과정을 통해서 실시되고 그 결과를 얻는지 경영학이라는 큰 틀에서 병원이라는 특수한 상황을 대입하여 기술하였습니다. 4장에서는 병원 조직을 어떻게 구성하고. 조직의 역할을 어떻게 나눠서 효율적으로 구성하고 운영하는지 그 방법에 대해서 논하였습니다. 5장에서는 리더십과 동기부여를 통해서 병원에서 일하고 있는 전문의료진, 스탭들이 어떻게 환자와 병원에 헌신하며 성과를 창출할 수 있는지 알아보았습니다. 6장에서는 의료서비스가 가진 품질을 어떻게 일관되게 유지하며, 환자들의 서비스 만족도를 어떻게 높일 수 있는지 서비스 마케팅이라는 관점에서 기술하였습니다. 7장에서는 병원이라는 비영리기업도 운영을 위한 최소한의 이익을 창출해야 한다는 점에서 마케팅 전반에 대한 개념을 확인하고 이러한 마케팅을 병원이라는 특수한 상황에 응용하는 방법을 기술하였습니다. 8장에서는 경영관리를 병원의 특수성에 맞춰서 병원의 여러가지 사무에 대해서 알아보고, 그 절차에 대해서 확인하고 어떻게 그 절차를 수행할 수 있는지 살펴보았습니다. 마지막 9장에서는 인사관리를 통해서 병원 구성원들의 인적자원을 가장 효율적으로 운영하는 방법에 대해서 알아보았습니다. 10장에서는 재무관리를 통해서 개원 시 사업타당성 분석을 할 수 있는 이론적 기반을 공고히 하였습니다. 재무관리이론을 응용하여 개원에 따른 수익성 분석을 하여, 치과경영에 수익적 분석을 추가하였습니다. 매 장이 끝날 때마다, 해당 내용을 확인할 수 있는 단원 문제를 수록하여 학습자가 학습한 내용을 복습할 수 있게 하였습니다.

본 교재는 시중에 출판되어 있는 병원 관련 경영학, 원무관리, 경영학원론, CPA, 노무사 경영학 교재와 문제들을 참고하여 내용을 요약하였습니다. 보건의료, 경영학, 경영학 수험서를 집필하신 많은 분들의 도움이 없었더라면 본 교재는 탄생하기 어려웠을 것입니다. 보건의료 및 경영학 발전을 위해 힘써 주신 많은 저자와 교수님, 박사님에게 감사의 표시를 드립니다.

2022년 1월

편저자 김 경 진

자격소개 및 시험일정

자격소개

◉ 치과경영관리사

치과 병·의원의 경영합리화를 위하여 경영진단이라는 조사방법에 의거, 객관적인 입장에서 엄밀히 조사/분석하여 경영 질환의 원인을 발견하고 그에 대한 합리적인 대책을 제공할 수 있는 전문 자격사를 말합니다.

치과경영관리사 = 조사 분석 + 원인 발견 + 대책 마련 + 임직원 교육

◉ 치과경영관리사 수행직무

치과경영관리사는 의료경영이라는 특수한 환경에서 치과 병/의원의 경영 안정성 여부를 진단하고, 위험관리(risk management)를 통해 각종 손해를 예방하여, 커뮤니케이션/상담을 통해 환자를 유치/관리하여 클라이언트가 원하는 수준으로 매출이 관리될 수 있도록 양질의 교육과 컨설팅을 활용해 지속 가능한 성장 경영 모델을 구축합니다.

자격시험정보

◉ 평가 과목

경영이론	객관식 40문항 / 주관식 5문항 / 시험시간 45분
법무이론	객관식 40문항 / 주관식 5문항 / 시험시간 45분
세무회계이론	객관식 40문항 / 주관식 5문항 / 시험시간 45분
커뮤니케이션이론	객관식 40문항 / 주관식 5문항 / 시험시간 45분

◉ 평가영역

과목	평가영역
경영이론	경영의 기본 프로세스, 조직 및 인적자원관리, 마케팅 관리, 원무관리, 전략, 재무관리에 관한 기본적인 개념 및 실무 응용능력
법무이론	치과경영관리사가 갖추어야 할 법적 지식과 법률관련 실무 처리 업무가 가능한지 여부
세무회계이론	치과 병·의원의 종합소득세의 계산과 부가가치세 및 원천징수의 개요
커뮤니케이션이론	내·외부 고객과의 효율적인 커뮤니케이션을 위한 기본 이론의 이해와 실무 적용 가능 여부

◉ 시험일정

<table>
<tr><th colspan="2">구분</th><th>일정</th></tr>
<tr><td colspan="2">시험일정</td><td>연 3회 시행(4월, 8월, 12월)
치과경영관리사 홈페이지(www.dentalexam.org)에서 시험일정 확인</td></tr>
<tr><td colspan="2">원서접수</td><td>치과경영관리사 홈페이지(www.dentalexam.org) 접속 → 원서접수</td></tr>
<tr><td colspan="2">합격기준</td><td>100점 만점 기준에 40점 이상이며, 평균 점수가 60점 이상</td></tr>
<tr><td colspan="2">합격자 발표</td><td>치과경영관리사 홈페이지(www.dentalexam.org) 접속 → 성적확인</td></tr>
<tr><td rowspan="3">응시 자격</td><td>연령 및 학력</td><td>제한 없음</td></tr>
<tr><td colspan="2">결격사유에 해당하지 않는 자</td></tr>
<tr><td colspan="2">- 부정행위자 처분 후 3년이 지나지 않은 자
- 미성년자, 피한정후견인 또는 피성년후견인
- 파산선고를 받고 복권되지 아니한 자
- 금고 이상의 실형의 선고를 받고 그 집행이 종료(종료된 것으로 보는 경우를 포함한다)되거나 집행을 받지 아니하기로 확정된 후 2년이 경과되지 아니한 자
- 금고 이상의 형이 집행유예를 받고 그 집행유예기간 중에 있는 자</td></tr>
</table>

목차

CHAPTER

경영의 기본 개념

Dental Management Officer

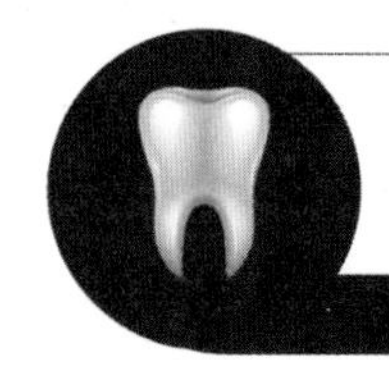

경영의 기본 개념

Dental Management Officer

01

1. 경영이란 무엇인가?

경영은 조직의 목표를 달성하기 위해 인적, 물적 자원을 활용하여 원하는 결과가 나올 수 있도록 계획하고 필요한 조직을 구성하고, 조직 구성원들을 지휘, 조정하여 산출된 결과를 검토하고 통제해 나가는 일련의 활동이다.

2. 경영에 필요한 4가지 요소

첫째, 경영을 하는 주체, 생산을 하는 주체, 아이디어를 창출하는 등 조직을 움직이는 주체는 모두가 인적자원이다. 인적자원을 잘 관리하지 못한다면 조직의 일이 실패로 돌아갈 것이다. 이러한 이유로 현대 경영에서 인적자원의 중요성은 나날이 강조되고 있다. 인적자원은 미래 경쟁력의 원천이 되며 이러한 인적자원을 채용하고 채용 후에도 지속적인 교육훈련을 실시해야 한다.

둘째, 경영을 하기 위해서는 원재료, 생산설비, 기술, 정보, 통신장비, 기계장치, 토지 등을 활용하여 제품을 생산하거나 서비스를 제공해야 한다. 이러한 것들은 돈을 지불해야 얻을 수 있으며 이러한 돈을 통칭하여 자금이라고 한다. 현대의 주식회사 체제에서 자금은 주식을 발행해서 조달하거나 채권자로부터 차입을 하여 조달할 수 있다.

셋째, 인적자원과 자금이 존재한다면 기업의 전략을 수립하여 기업 혹은 조직의 목표를 달성할 수 있다. 전략은 조직이 어떤 방향으로 나아가야 할지 혹은 조직의 목표를 실현시키기 위한 방법이 무엇인지 결정하게 해 준다.

넷째, 전략적인 의사결정의 기초로 정보가 필요하다. 정확하고 충분한 정보는 올바른 의사결정을 하게끔 도와준다. 경쟁력을 갖춘 조직은 정보를 획득하는 데 많은 자원을 투자하며, 이는 곧 올바른 전략의 결정으로 이어져서 조직의 목표를 달성하는 데 도움을 줄 수 있다.

3. 경영자의 역할

경영자는 조직에서 일을 하면서 조직을 관리하는 사람이다. 예를 들어, 대기업의 회장을 비롯하여 공장장 혹은 병원의 병원장, 각 진료과의 과장 등을 경영자라고 할 수 있다. 이와 같이 서로 다른 여러 유형의 경영자들이 존재하지만 이들은 공통적인 역할을 갖고 있다.

첫째, 의사결정 역할이란 수집된 정보를 토대로 다양한 경영 문제를 풀어가는 것으로 기업가의 역할, 분쟁조정자의 역할, 자원배분자의 역할, 교섭자의 역할 등이 있다. 장기적인 전략을 수립하고 새로운 분야를 개척하며, 경영을 하는 과정에서 예상치 못한 일이 발생했을 때 이를 처리하며, 한정된 기업의 자원을 배분하며, 조직의 중요한 문제에 대해서 조직을 대표하는 역할을 한다.

둘째, 대인관계 역할은 경영자는 조직을 이끌어 가는 구성원의 한 사람으로서 조직내부뿐만 아니라 조직외부의 대인관계를 유지하는 역할을 한다. 경영자가 수행하는 대인관계 역할로는 조직의 상징 또는 대표자로서의 역할, 조직의 리더 역할, 조직외부와의 연락자 역할 등이 이다.

셋째, 정보관리 역할은 정보의 청취자, 전파자, 대변자의 역할을 포함한다. 정보의 청취자는 조직 경영에 필요한 정보를 꾸준히 탐색하고 수집하는 것을 말하며, 전파자는 필요한 정보를 필요한 사람에게 전달해 주는 것을 의미하며, 대변자는 조직내에서 수집, 분석한 정보를 외부에 전달해 주는 것을 말한다.

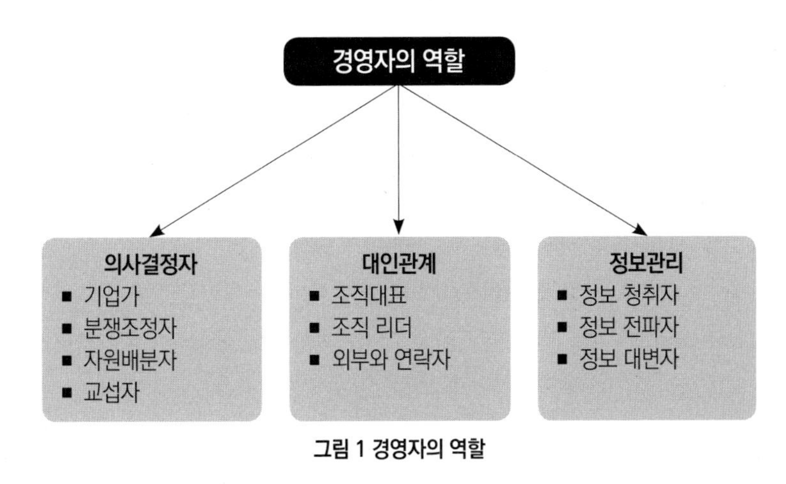

그림 1 경영자의 역할

4. 경영자에게 요구되는 능력

경영자는 조직의 구성원을 이끌고 이들에게 비전을 제시하여 조직 구성원들이 동기부여를 갖고 자신의 일을 잘 할 수 있도록 해야 한다. 이렇게 하기 위해서 경영자는 상황 판단 능력, 인간 관계 능력, 현장실무 능력이 필요하다. 상황 판단 능력이란 최고 경영자가 조직을 전체적으로 파악하면서 조직의 각 부문은 서로 어떤 연관관계가 있으며 한 부문에서의 변화가 조직 전체에 어떤 영향을 미칠 것인가를 예측할 수 있는 능력이다. 인간 관계 능력은 조직내부와 외부에서 많은 시간을 사람들과 상호작용하면서 자신의 경영활동을 수행해야 하는 능력이다. 인간 관계적 기술은 경영자가 개인 또는 집단의 일원으로서 다른 사람 또는 집단과 더불어 일하고, 의사소통을 하고 이해하고, 동기부여를 할 수 있는 능력을 의미한다. 마지막으로 현장실무 능력은 경영자가 과업 담당자에게 지시하고 충고하고 업무를 감독하는 것을 의미한다. 경영자는 자기 경험을 토대로 실무자들을 잘 이끌어 가야 한다.

5. 병원경영학의 특수성

병원에서 제공하는 의료 서비스는 일반 재화와는 구별된다. 의료 서비스는 국민의 생명을 보전하고 건강을 유지시키는 고유의 목적을 효과적으로 달성하기 위해서 공급과 수요를 전적으로 시장기능에만 의존하는 것이 아니라 어느 정도선에서 국가가 개입하거나 사회적으로 대응할 필요성이 있다.

1) 정보의 비대칭성

소비자들은 의료 서비스의 전문적인 내용에 대해서 알기가 어렵다. 의료 서비스를 제공하기 위해서 의료 서비스 제공자들은 전문적인 지식은 물론 이에 상응하는 다양한 경험을 획득한다. 이러한 이유로 의료 서비스의 이용자들은 서비스의 공급자에게 상당 부분 의존하고 공급자의 조언을 듣는다. 소비자의 무지는 의사가 환자의 의료 수요를 유발하는 직접적인 요인이 되기도 한다. 만약 공급자에 의하여 창출된 수요가 필요 이상의 서비스라면 이러한 부분은 공급자에 의하여 발생하는 도덕적 해이라고 할 수 있다. 일반적인 서비스는 수요자가 서비스를 선택하고 그 구입 여부를 결정하지만 의료 서비스는 공급자인 의료인이 구입 여부에 상당한 영향을 미친다.

2) 수요의 불확실성

의료 서비스는 수요가 불확실하고 불규칙적이다. 의료 서비스의 특성상 언제, 어떤 종류의 질병이 발생할지 미래의 수요를 예측하는 것이 어렵다. 이는 의료수요 발생의 전제조건이 되는 질병이나 사고의 발생 자체를 예측한다는 것이 거의 불가능하기 때문이다. 그 결과 이에 상응하는 막대한 비용이 발생하여 의료 서비스 이용자에게 큰 부담을 줄 수 있다. 이러한 수요의 불확실성과 불규칙성에 집단적으로 대응하기 위한 경제적 수단으로 의료보험을 갖게 되며 보험을 통하여 미래의 불확실한 큰 손실을 현재의 확실한 적은 손실로 대체할 수 있다.

3) 치료의 불확실성

질병이 발생한 이후 치료절차와 치료결과를 예측하는 것이 어렵다. 이러한 치료결과의 불확실성 때문에 환자들은 의료 서비스의 질적, 양적 향상에 대한 욕구가 존재한다. 치료의 불확실성을 낮추기 위해서 환자들은 정부나 민간의료기관으로 하여금 규제 혹은 의료기관 간의 경쟁을 통하여 질적인 측면에서 적절한 대응을 유도해야 한다. 이러한 방법의 일환으로 정부는 면허를 소지한 의료인들에게 일정 기간 동안 직무와 관련된 재교육을 받도록 법적으로 강제하고 있다. 2012년 4월 29일부터 의료인에 대해 3년마다 면허를 신고해야 하는 '면허 신고제'를 시행하고 있다.

4) 가치재로서의 성격

의료 서비스는 가치재에 해당한다. 국민 누구나 생존에 필요한 최소한의 의료 서비스를 이용할 권리가 있다. 의료 서비스의 소비를 통해서 개인뿐만 아니라 국가 전체에도 장기적 편익을 가져다주기 때문에 국가의 책임하에 기본적인 서비스의 제공이 이루어져야 한다. 개인의 건강상실은 자신은 물론 가족과 사회에 경제적 혹은 비경제적 손실을 초래한다. 의료 서비스가 활성화되면 이러한 경제적, 비경제적 손실을 최소화할 수 있고 그 혜택은 당사자뿐만 아니라 사회 전체에 돌아간다.

5) 공급의 법적 독점의 존재

의료 서비스는 국가면허를 가진 한정된 사람에게만 독점적으로 주어지기 때문에 생산부문의 독점이 형성되어 있다. 사람의 생명을 다루는 서비스의 특성상 일정 수준 이상의 자격과 훈련기간을 습득한 사람들만이 서비스를 제공하게끔 하는 것이다. 이러한 이유 때문에 의과대학의 신설이나 정원 등에 대해 시장기능에 맡기지 않고 국가에 의한 공급 자격을 정하여 관리하고 있다. 수요에 즉각적으로 대응하여 공급할 수 있는 공급의 탄력성이 낮다.

6) 외부효과의 존재

의료 서비스는 외부효과를 유발한다. 외부효과는 내가 어떤 일을 함에 따라 내 주변에 있는 사람들이 영향을 받는 것이다. 예를 들어, 내가 음대 입시 준비를 위해서 밤에 피아노를 연습할 경우, 나의 피아노 연습으로 인해서 주변 이웃들이 소음에 시달릴 수 있다. 이러한 것이 외부효과이다. 이러한 외부효과가 발생할 경우 정부는 시장기능이 아닌 각종 규제를 통해서 외부효과의 영향을 최소화하려고 한다. 의료 서비스의 경우 전염성 질환에 대한 예방 및 치료는 전염병 감염을 경로를 차단하므로 예방접종을 받지 않은 다른 사람들에게도 큰 영향을 미친다. 총 인구 중 상당비율의 사람들이 특정 질환에 대한 면역력을 획득하게 되면 다른 사람들도 감염을 받을 위험이 적어진다. 이러한 이유 때문에 공중보건 사업은 대부분 외부효과를 갖고 있다.

예방서비스를 예로 들면, 만일 의료 서비스가 민간시장에 의해 전담된다면 서비스 공급자들은 수익성이 높은 2, 3차 서비스의 제공에 치중하는 반면, 수익성이 낮은 1차 서비스나 예방서비스를 등한시할 수 있고, 그 결과 질병으로 인한 고통 증대뿐만 아니라 건강유지에 필요한 의료비의 증가까지 초래할 수 있다. 따라서 예방서비스를 민간시장에 맡겨 놓으면 사회적 편익을 최대로 하는 적정량의 예방서비스가 제공되기 어렵다. 정부는 시장에 개입하여 직접 예방서비스를 제공하거나 가격보조를 통해 적정량의 예방서비스를 제공한다.

CHAPTER 2

의료경영의 기본 개념

Dental Management Officer

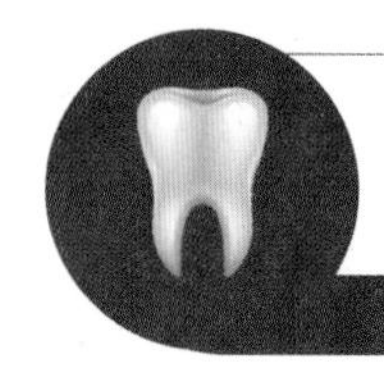

의료경영의 기본 개념

Dental Management Officer

02

경영은 내부자원을 활용하여 주변 환경에 적절히 대처하여 조직이 달성하고자 하는 목표를 이루는 것이다. 병원경영에 있어서 병원조직이 갖고 있는 목표를 달성하기 위해서는 병원조직이 처한 외부환경에 대한 이해가 필요하다. 오늘날 병원조직은 과거와 비교하면 훨씬 복잡한 환경에 놓여 있다. 조직이 속한 사회의 법과 제도, 시장 상황, 노동조합과의 관계에 따라 병원경영도 달라질 수 있다. 본 장에서는 병원을 둘러싸고 있는 다양한 환경에 대해서 살펴보겠다.

1. 의료소비자 환경

1) 고령화의 가속화

인구의 고령화는 많은 의료수요를 만들어 낸다. 사람은 나이가 들면서 신체 능력이 약해지고, 각종 질병에 걸리기 쉽다. 그러므로 인구의 고령화는 의료경영에 있어서 중요한 변수이다. 특히 우리나라는 세계에서 가장 빠르게 고령화가 되어 가는 사회이다. 2017년에는 65세 이상의 고령 인구 비율이 14%였으며, 2050년경에는 고령 인구 비율이 38% 이상으로 세계에서 가장 높은 수준에 이를 것으로 예상한다.

인구 고령화가 진행되면, 일할 수 있는 인구가 노령인구를 부양해야 하는 문제가 발생하며, 노인 인구의 사회적 참여 결핍으로 이들의 정신적 소외 등 각종 노인 문제가 발생할 수 있다. 그뿐만 아니라 고령화로 인해서 수명이 증가하고, 증가한 수명만큼 추가적인 의료서비스가 필요하여 사회 전체적으로 의료비 부담이 증가한다. 건강보험이 전 국민에게 의료서비스를 제공하지만, 건강보험의 재정을 건전하게 유지하기 위해서는 노령인구가 소비하는 의료서비스의 비용을 생산가능 인구가 보전해야 하는 사회적 갈등 문제도 발생할 수 있다. 의료 환경은 우리 사회가 고령화되는 것을 고려하여 노인 인구에 맞는 의료서비스 체계를 갖출 필요가 있다.

2) 여성의 사회활동 증가와 저출산

우리 경제가 발전하면서 노동력에 대한 수요가 증가하여 여성의 사회 참여도 같이 증가하고 있다. 특히, 과거와 달리 여성의 교육 수준이 증가하면서 여성의 경제 참여가 증가하였다. 동시에 사회에서 여성의 자아실현 욕구가 높아져서 출산을 꺼리게 되는 현상이 발생하고 있다. 이로 인해서 우리나라의 출산율은 OECD 최저 수준이라고 할 수 있다. 여성의 다양한 사회 참여로 인해서 이들이 갖는 정신적 스트레스, 저출산으로 인한 여성 질환의 증가, 미래 노동력의 감소 및 노동의 질이 저하될 수도 있다.

3) 만성 퇴행성 질환의 증가

경제발전으로 생활습관이 서구화됨에 따라 우리나라의 질병 구조에도 변화가 생기고 있다. 과거에는 급성전염성 질환의 발생 비율이 높아졌으나 수명이 증가하고 식습관이 변하면서 만성 퇴행성 질환의 비율이 증가하고 있다. 특히 우리나라 3대 사망원인인 심혈관 질환, 암, 뇌혈관 질환의 비율이 증가하고 있다. 이러한 질병들은 갑작스럽게 발생하기보다는 변화된 식습관으로 인해 서서히 진행되는 경향이 있으며, 지속적인 관리와 치료가 필요한 질환이다. 서구화된 식습관이 있더라도 금연, 금주하며 규칙적인 운동을 하면 이러한 만성 퇴행성 질환의 발병을 늦추거나 예방할 수 있다.

4) 의료비 증가

경제 규모가 커지면서 의료비에 대한 지출 규모도 같이 증가하면서 의료산업의 전체적인 규모도 성장하였다. 건강보험이 보장하는 범위가 확대되면서 국민의 병원 이용도 같이 증가하였으며, 인구의 고령화, 만성질환의 증가, 고급 의료에 대한 수요도 증가하여 사회 전체적으로 의료비 부담도 같이 증가하고 있다. 과거처럼 단순히 질병을 치료하는 것을 넘어서 의료서비스라는 측면에서 환자들이 치료의 결과와 과정도 중시하기 때문에 다양한 니즈를 가진 환자들의 눈높이와 니즈에 맞춰서 의료서비스를 제공해야 할 것이다.

5) 건강한 삶에 대한 인식 전환 및 소비자권리 확산

소득이 향상되면서 국민은 삶의 질에 대해서 고민하기 시작하였다. 사회 전체적으로 치료뿐만 아니라 건강한 삶의 질에 대한 욕구가 커지면서 이에 맞는 의료수요도 증가하고 있다. 몇몇 의료기관은 이러한 소비자 니즈에 맞는 맞춤형 건강검진, 치료 후 사후관리 서비스 등을 제공하고 있다. 건강한 삶에 대한 인식이 지속해서 국민 사이에 퍼지고 정착되면 과거의 치료에 초점을 맞춘 의료서비스보다는 치료뿐만 아니라 질병의 예방, 건강증진 서비스 등 다양한 서비스의 수요가 증가할 것이다.

1990년대 이전에는 급속한 산업화와 경제발전을 위해 소비자의 권리보다는 기업의 성장과 이윤 확대를 위한 많은 정책이 시행되었다. 그러나 사회가 민주화되고 소득이 증가하면서 소비자권리에 관한 관심이 증가하고 있으며, 이는 의료서비스도 예외는 아니다. 소비자는 치료의 목적과 그 과정에 이르는 양질의 서비스를 받고 싶어 한다. 의료인들은 과거의 권위적인 진료보다는 의료라는 서비스를 제공하는 서비스 공급자로서 병원을 경영하고 환자를 대해야 할 것이다. 특히, 의료분쟁이 발생했을 때 현명하게 대처하여 소비자의 피해를 최소화해야 할 것이다.

2. 의료공급자 환경

1) 병원경영의 선진화

다양한 병원이 설립되고 경쟁을 하다 보니 질 높은 의료서비스를 제공하기 위해서 병원들은 고가의 의료장비를 도입하고 있다. 특히 병원운영에 있어서 폐쇄적인 운영보다는 선진국의 운영방식을 도입하여 투명하게 운영을 하고 있으며, 경쟁에서 우위에 있기 위하여 각각의 병원들이 전문 분야에 집중하고 있다. 병원의 고정비 부담을 줄이기 위해 병원은 점차 대형화되고 있다.

의료서비스는 대표적인 공공재의 성격을 띠고 있으나, 최근에는 영리병원 도입, 시장경제 원리의 도입 등 의료시장을 시장원리에 따라 운영되게 하자는 의견이 증가하고 있다. 미국처럼 의료시장을 시장경제 논리에 맡기는 것이 사회 전체적으로 후생을 높이는 방법인지, 유럽처럼 의료의 공공성을 강조하여 정부가 적극적으로 개입하는 운영방법이 사회의 후생을 더 높이는지 여전히 논의 중이다.

2) 보건의료인력의 공급증가

보건의료와 관계된 인력은 의료법, 약사법 등에 의해 규정된 한의사, 치과의사, 의사, 간호사, 약사, 의료기사, 응급구조사 등이 있으나 넓게는 간호조무사까지 의료인력으로 볼 수 있다. 지난 15년 동안 우리나라 의료인력은 양적으로 증가했을 뿐만 아니라 의학, 의료와 관련된 기술, 의료인의 숙련도도 많이 향상되었다. 의료인은 전문적인 의료지식을 바탕으로 국민의 생명과 직결되는 서비스를 제공하기 때문에 우리나라에서는 의료인의 자격을 법으로 엄격하게 규정하고 있다. 숙련된 의료인을 양성하는 데에는 많은 시간과 비용이 투자되기 때문에 한 사회의 장기적인 의료서비스 수요 및 고객의 눈높이에 따라 의료인의 양성이 체계적으로 이루어져야 한다.

3) 고용형태의 변화

1997년 IMF 전 우리나라는 평생직장이라는 개념으로 노동시장의 유연성이 높지 않았으나 자본시장의 개방과 효율을 추구하는 경영이 도입된 이후 계약직, 파견근로, 비정규직, 정규직 등 다양한 고용형태가 도입되고 운영되어 왔다. 이렇게 다양한 고용형태에서 어떻게 효과적이면서 효율적으로 노동력을 활용하여 병원의 목표를 달성할지가 중요한 관심사로 떠올랐다. 병원의 근본 경쟁력인 의료서비스의 질을 유지하면서 노동 인력을 효과적으로 잘 관리하는 것이 병원경영에 있어 중요한 과제로 부상되고 있다.

4) 협력적 노사관계 문화의 정착

미국적인 경영 문화에서 노동조합을 하나의 이익집단으로 바라보는 경향이 있고, 유럽식 경영 문화에서는 노동조합을 기업의 경영의 한 주체로 인식하고 사용자측과 함께 경영하는 파트너로 바라보는 경향이 있다. 병원과 노동조합의 관계는 병원의 중요한 의사결정에 영향을 미칠 수 있다. 가장 이상적인 노사관계는 협력적인 관계를 통해서 의료서비스의 질을 높이는 동시에 병원 구성원의 직무만족도를 높이는 것이다. 병원 경영자는 협력적인 노사관계를 구축하여 병원 경쟁력을 유지하고 발전시키는 데 노력을 기울여야 한다. 이러한 협력적 노사관계를 만들기 위해서는 체계적이고 전문화된 인적관리가 필요하다. 병원 경영자는 병원의 경쟁력의 원천이 병원의 구성원인 직원이라는 것을 인식하고 이들과 상생의 관계를 유지하는 데 노력해야 할 것이다.

5) 다양한 가치관을 갖고 있는 조직구성원

과거 군사 정권 시절 조직은 통일성과 획일성으로 일사불란하게 일을 처리 하는 것을 미덕으로 여겼다. 그러나 사회가 민주화되고 소득수준이 높아지면서 이러한 획일성보다는 개인의 가치를 존중하는 사회 분위기로 바뀌고 있다. 병원 조직구성원이 병원에 대한 맹목적인 충성을 강요하는 관리방식은 너는 유용한 방식이 되지 않는다. 서로가 평등한 위치에서 근로계약을 체결하고 조직구성원의 다양성을 인정하며 그 다양성을 통해서 조직이 성장한다는 믿음이 널리 퍼졌다. 현대의 병원경영은 조직구성원을 하나의 인격체로 존중하며 그들의 잠재력을 끌어내 각각의 병원이 가진 경영목표를 달성할 수 있도록 인적자원을 관리해야 한다.

3. 기술의 발전과 사회제도의 변화

1) IT기술의 발전

블록체인, 인공지능, 컴퓨터 등 IT 기술발전과 진단 장비의 발전으로 암, 심장병, 뇌혈관 질환 같은 중증질환을 조기에 발견해서 치료하는 예방적 의료가 점차 확대되고 있다. 국민은 건강보험에서 제공하는 건강검진을 받고, 근로자도 사업주가 제공하는 건강검진을 받으며 중대한 질병을 조기에 발견하여 완치율을 높여가고 있다. 발전된 IT 기술과 의료서비스를 결합하여 이전에는 상상할 수 없었던 질 높은 의료서비스를 고객에게 제공하고 있다. 인터넷 보급의 확대로 환자들도 의료기관에 대한 많은 정보를 갖고 자신이 치료받고자 하는 의료기관을 선택할 수 있다. 더구나 정보통신 기술의 발달로 원격진료도 가능한 수준이 되고 있다. 앞으로 기술발전에 따라 의료서비스를 제공하는 방식에도 많은 변화가 있을 것이다.

2) 병원정보의 빅데이터화

의료서비스에 대한 수요가 증가하고, 병원이 대형화되고, 컴퓨터 기술이 발전하면서 병원에서 한 업무 내의 문서와 각종 숫자가 디지털로 저장이 되고 있으며 이렇게 저장되는 자료는 나날이 증가하고 있다. 정부의 의료수가 책정, 보험회사로의 의료비 청구, 정부 정책 수립을 위한 각종 자료 수집 등으로 병원에서 생성하는 많은 자료는 디지털로 저장되고 다양한 목적을 위해 활용되고 있다. 더구나 모든 업무가 디지털화되어 병원 컴퓨터 시스템을 통해 업무가 진행되고 있어 병원직원은 신속하게 고객에게 서비스 응대를 할 수 있으며, 병원을 방문한 고객이나 환자도 신속하게 자신들이 원하는 서비스를 받을 수 있게 되었다. 앞으로 IT기술이 더 발전되면 병원의 많은 업무가 지금보다 더 자동화될 것이며, 병원에서 생성되는 많은 자료가 병원경영의 효율을 높이고, 공공재로서 병원의 역할을 하는데 사용하는 정책자료, 다양한 질병 연구에 사용될 것이다. 이러한 시대를 대비하기 위해서 병원은 IT기술을 적극적으로 도입하고 업무에 활용할 뿐만 아니라 조직구성원이 이러한 환경에서 업무를 할 수 있도록 지속적인 교육을 시행해야 할 것이다.

3) 정부규제

의료서비스는 여전히 공공재의 성격이 많으므로 병원의 활동은 정부의 다양한 규제를 받게 된다. 정부는 관계 법률을 통해 의료진의 전문성을 유지하도록 하고, 다양한 법률을 통해 병원이 우리 사회의 공공재로서 역할을 다 할 수 있도록 영향을 미치고 있다. 노동 관련 법령을 제정함으로써 사용자와 근로자 간의 관계에 어떤 규칙을 제공하여 노동시장 안정, 사회문제의 최소화, 국가경쟁력 강화라는 복합적인 목적을 추구해 왔다.

정부는 국민의 건강을 위해 의료시장에 일정 수준으로 개입하고 있다. 건강보험제도를 통해서 의료수가를 제정하면서 정부의 정책적인 목표를 달성하려고 한다. 건강보험 제도는 병원의 경영 성과에 큰 영향을 미치고, 병원의 운영방식에도 때로는 기회로 때로는 위협으로 작용하기도 한다. 우리나라 현재 법률상 텔레비전이나 라디오와 같은 미디어를 통해서 하는 병원의 의료광고는 엄격히 제한되고 있다.

4) 외국인 환자 유치

세계화로 인해 국가 간의 국경의 낮아지면서 의료관광이 새로운 산업으로 떠오르고 있다. 의료산업은 전문 지식을 요구하는 고부가가치 산업이기 때문에 우리 정부도 국가적 차원에서 외국인 환자를 유치하여 의료관광시장을 육성시키고 있다. 의료관광시장이 새로운 블루오션으로 떠오르면서 관련 의료법을 개정하여 외국인 환자 유치를 가능하게 하였으며, 본격적으로 외국인 환자를 대상으로 의료서비스를 제공할 수 있는 기반을 조성하고 있다. 더군다나, 보건복지부는 국내 의료기관의 해외 진출을 장려하기 위해서 각종 제도를 정비하고 지원 프로그램을 신설하고 있다. 수준 높은 우리나라 의료서비스가 해외에 적극적으로 진출하여 병원경영의 새로운 방향을 제시하는 동시에 국내에서 치료를 받으려는 외국인 환자의 유입도 증가시키고 의료시장의 성장을 이끌며 이러한 환자를 타겟으로 하는 병원도 증가하고 있다.

4. 환경변화에 따른 병원의 대응

1) 제도 개선

급속도로 변화하는 환경에 병원이 적응하기 위해서는 정부의 제도개선이 선행되어야 한다. 정부는 의료기관 기능을 재정립하여 비효율적인 의료체계를 바로잡고 적절한 비용으로 양질의 의료서비스를 효율적으로 제공할 수 있는 토양을 만들어야 한다. 이를 위해 현재 규모 중심의 의료서비스에서 기능 중심으로 전환할 필요성이 있다. 의원급은 질병의 예방과 관리 기능을 강화하고, 병원급은 전문병원 및 지역 단위의 공공재로서 거점 병원 역할을 하며, 상급종합병원은 연구중심으로 고도의 중증질환을 진료하는 의료기관 기능 재정립 방안의 수립이 필요하다. 인력, 병상 등 보건 자원의 적정 공급 및 질적 제고를 위한 정책이 선행되어야 한다. 인력, 병상, 장비 등 의료자원의 효율적인 수급과 품질 제고 방안 추진을 위해 진료과목, 지역 간 수급 불균형, 전문의 제도개선 등 근본적인 개편안을 마련하고 고가의료장비에 대한 품질검사를 강화하여 부적합한 장비를 퇴출시키고 장비 이력 관리를 통해 의료수가 차등화를 추진해야 한다.

2) 경쟁력 강화

병원의 문제를 해결하고 경쟁력을 강화하기 위해서는 합리적이고 객관적인 수단과 정보를 확보하는 것이 중요하다. 이렇게 하기 위해서는 합리적 의사결정체계가 구축되어 있어야 한다. 합리적 의사결정이란 양질의 의료서비스를 유지하며 비용대비 효율을 높이는 것이다. 구체적으로 핵심 진료과목이 같거나 비슷한 규모의 병원 사이에 경영정보를 교환하여 의료 네트워크를 구축하고 활용함으로써 병원의 경영능력을 향상시킬 수 있다. 병원산업의 현실을 합리적으로 설명할 수 있는 자료를 확보함으로써 정부의 지원을 병행하면 국제 경쟁력을 지닌 핵심 산업의 성장할 수 있다.

영리병원과 민간보험의 도입이 예상되고 시장이 전면 개방되는 시대를 대비하여 병원경영에 필요한 자본을 조달하고 보유자금을 효과적으로 운영하는 관리 능력을 확보해야 한다. 신시장의 개척과 신사업 진출, 규모의 경제효과를 확보하기 위해 사업 확장을 계획하는 조직은 투자 규모의 적정성을 산정하고 필요한 자금을 다양한 방법으로 조달하는 능력을 지닌 전문가를 확보해야 한다. 의료진 외에도 효율적으로 경영을 할 수 있는 전문가를 적극적으로 영입해야 한다. 이러한 전문가들은 투명경영을 요구하는 사회의 요청에 따라 전문가로서 관련 법규가 정한 범위 안에서 투명하게 고가장비의 구매, 유지보수 조건 등의 경제적 효과를 분석하는 실행, 감독해야 한다.

효과적인 업무를 통해 불필요한 업무를 줄여가야 한다. 현장부서에서 수행되는 업무 중 불필요한 업무는 과감히 축소하여 시간외근로의 발생을 억제하거나, 근무방법 등에 관한 개선에 따라 직무분장이나 직무를 재설계하여 업무를 효율적으로 처리해야 한다.

병원의 경쟁력 강화를 위해서 병원의 목표를 설정하고 이를 달성할 수 있는 전략을 수립해야 한다. 이러한 전문적인 관리를 위해 병원 구성원을 교육하여 이러한 능력을 보유하고 미래를 대비할 수 있는 인재로 양성해야 한다. 의사와 의료기사를 포함한 다양한 전문직 종사자는 자기 분야의 최신 기술뿐 아니라 합리적 경영마인드를 지니도록 하고 관리자는 자신이 관리하는 분야와 관련된 경영환경의 변화요인에 대한 합리적 대안과 조직의 사명 및 비전 및 목표와 연계성을 지닌 운영전략을 수립하고 추진할 수 있는 능력을 보유하도록 지원해야 한다.

소비자에게 신뢰를 얻기 위해서 병원은 단기적이고 극단적인 이윤을 추구하기보다는 사명과 비전, 경영철학이 반영된 병원 고유의 브랜드를 관리하는 것이 중요하다. 병원 브랜드를 효과적으로 관리하기 위해서는 식스 시그마, 학습조직 등과 같은 개선 활동을 도입하여 업무의 질을 향상하고 업무를 효율적으로 추진하고 개선하기 위한 직무교육 프로그램을 강화하는 것이 필요하다. 병원이 경쟁력을 지니기 위해서는 변화를 선도하겠다는 최고 경영지의 의지가 있어야 한다.

3) 전문 영역설정

2011년 10월부터 보건복지부는 전국 99개 병원을 제1기 전문병원으로 지정하여 운영하였으며 2018년부터는 제3기 전문병원을 지정하여 운영하고 있다. 최근 병 · 의원 개원 경향은 대형화와 동시에 전문화에 초점을 맞추고 있다. 특히 대학병원 교수들의 개원이 증가하면서 자신이 주로 수술 및 진료하던 주특기 분야를 그대로 가지고 개원을 한다. 전문병원으로서 면모를 갖추기 위해 해당 질병의 환자가 아니라면 정중히 돌려보내는 방침도 필요하다. 전문병원으로 성장하기 위해서는 자기개발을 해야 하며 지역과 이웃의 유대관계를 강화하기 위해서도 노력해야 한다.

4) 역지사지

병 · 의원이 세워지고 의료가 행해지면 환자들이 찾아오던 시대는 지났다. 병원의 증가와 의료서비스의 개방, 외국계 병원의 유입 등 새로운 경쟁의 시대에서 생존하기 위해서는 환자를 소비자로 생각하고 소비자의 관점에서 의료서비스를 바라봐야 한다. 환자들은 자신이 대접을 받고 치료를 받을 수 있는 병원을 선택하고 있다. 환자들의 선택을 받기 위해서 병원들은 기존에 자신들의 경영방식을 전환하고 고객을 위한 서비스 개선을 해야 한다. 즉, 병원의 경영자, 의사, 기타 의료인력들은 환자에게 의료서비스를 제공한다는 마음가짐으로 환자의 만족을 위해 자신들의 전문 지식을 활용해야 할 것이다.

CHAPTER

병원경영의 기초

Dental Management Officer

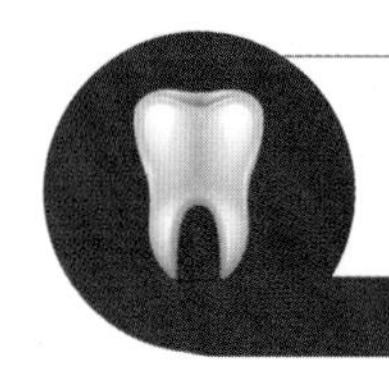

병원경영의 기초

Dental Management Officer

03

병원을 운영하기 위해서는 의사, 간호사, 각종 의료설비를 운영할 수 있는 기사, 지원업무를 할 수 있는 인원 등 많은 인적자원과 환자를 진료하고 치료할 수 있는 물리적인 공간, 환자의 상태 혹은 질병을 확인하고 진단할 수 있는 다양한 의료장비인 물적자원이 필요하다. 병원을 경영한다는 것은 이렇게 다양한 물적자원과 인적자원을 결합하여 가장 효율적인 산출물을 지속적으로 만들어 내는 과정이라고 할 수 있다. 산출물을 만들더라도 그 산출물이 병원에서 바람직하다고 인정되는 기준에 부합되는지 점검을 하는 검사를 하며, 그 검사결과가 바람직하지 않다면 이를 바람직하게 만들 수 있는 피드백을 주어야 한다. 병원을 운영하는 것 혹은 병원을 경영하는 것은 이러한 물적, 인적자원을 활용하여 계획하고 실행하고 결과물을 확인한 후 이에 대한 점검을 통해 다시 피드백을 주어서 다른 계획에 반영되고 이를 바탕으로 다시 실행되고 그 결과물에 대한 피드백을 주는 지속적인 순환과정이라고 할 수 있다.

1. 순환과정

병원조직은 개방체제로서 내, 외부 환경으로부터 자원을 투입하여 관리기능과 조직활동을 통한 변환과정을 거쳐 다양한 형태의 산출물을 만들어 낸다. 이러한 과정은 경영성과에 대한 피드백을 통하여 순환적으로 반복된다.

병원경영은 자원을 투입하여 병원이라는 시스템을 통해서 투입된 자원을 활용하여 그 결과물을 낸다. 산출된 결과물을 경영성과라고 하며, 경영성과에 대한 피드백을 제공한다. 만약 경영성과가 바람직한 방향으로 나왔다면 이를 유지, 지속할 수 있도록 피드백을 제공하여 투입과 변환을 통해서 이를 지속할 수 있도록 유지하고, 반대로 경영성과가 바람직하지 않은 방향으로 나왔다면 왜 그러한 결과가 나왔는지 확인하여 그에 대한 피드백을 준다. 이러한 피드백을 바탕으로 투입과 변환과정을 개선하여 바람직한 산출물을 만들어 내도록 한다. 순환과정은 투입, 변환, 산출, 피드백에 대한 일련의 지속되는 과정이다.

1) 투입과정

투입과정은 병원이 가지고 있는 내부자원과 외부로부터 주어진 외부자원을 병원 시스템에 투입하는 것이다. 병원이 가지고 있는 대표적인 자원은 인적자원, 자금과 같은 재무적 자원, 물적자원, 의료지식에 대한 정보자원이 있다.

2) 변환과정

주어진 일을 잘 마무리하고 바람직한 성과를 내기 위해서는 일의 순서가 있다. 이러한 일의 순서는 '계획(Plan)-실행(Do)-통제(See)'라는 절차를 거친다. 변환과정은 계획을 통해서 투입된 자원을 가장 효율적인 방법으로 실행하여 결과물을 만들어 내는 것이다. 변환과정은 경영과 관련된 관리과정과 조직활동을 통해서 바람직한 결과물을 만들어 내는 과정이다. 변환과정은 환자가 병원을 찾고, 의료서비스를 신청하고, 그에 대한 적절한 의료서비스를 제공하고, 결과적으로 퇴원하는 과정이라고 할 수 있다.

3) 산출과정

병원에서 산출물은 다양한 의미를 가질 수 있다. 가장 먼저 환자가 방문하고 퇴원했을 때 환자가 원하는 수준으로 충분히 의료서비스를 받고 이에 대한 만족을 할 수 있다. 이러한 것을 치료라고 한다. 치료과정에서 의학정보, 의무기록자료 등이 부가적인 산출물로 만들어 질 수 있다. 병원은 의료서비스라는 무형의 서비스를 제공하기 때문에 또 다른 산출물로는 환자와 그 보호자들이 병원 서비스에 만족하는 정도도 산출물로 나타낼 수 있으며, 병원은 지역사회에 공공재적인 성격을 가졌기 때문에 사회의 기대에 부응하는 것도 병원의 산출물이라고 할 수 있다

4) 피드백

결과물을 산출하면 피드백을 주어야 한다. 피드백은 다음 번의 산출물이 더 나은 산출물이 되기 위한 중요한 통제기법이다. 피드백을 받고, 이 피드백과 함께 다시 자원을 투입하여 변환과정을 거쳐서 이전 보다 더 좋은 산출물이 나오도록 노력한다. 피드백은 계층적으로 구분된 조직을 연결하는 중요한 도구이다. 병원의 최고 경영자는 중간관리자들이 목표를 달성했는지 파악하고, 그 달성여부에 따라 수정

된 계획과 목표를 만들어서 다시 중간관리자가 그 목표를 달성했는지 파악해야 한다. 이러한 과정은 최고경영자와 중간관리자의 업무적인 연결이 된다.

2. 의사결정 과정

의사결정 과정은 어떤 문제를 해결하기 위한 일련의 단계로 구성된다. 의사결정 과정은 다음과 같이 표현할 수 있다.

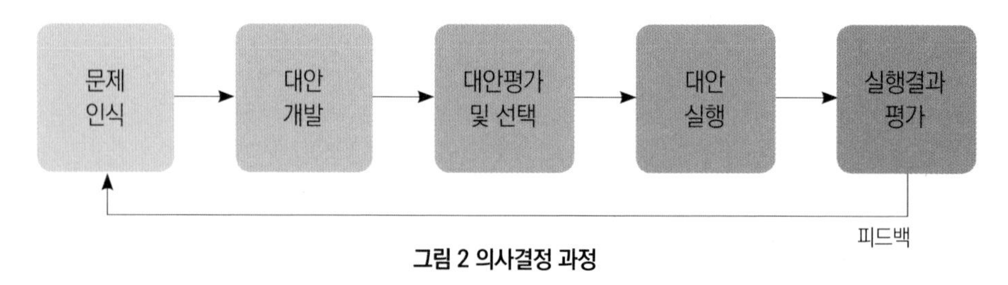

그림 2 의사결정 과정

1) 문제 인식

의사결정을 하기 위해서는 무언가를 해야 하는데, 대체로 의사결정 대상에 대한 문제를 인식해야 의사결정을 할 수 있다. 의사결정은 여러 가지 문제 중에서 중요성 측면에서 중요한 문제에 대한 결정을 의미한다. 특히 문제의 현재 상태와 기대되는 상태가 많이 차이가 날 때 이러한 의사결정이 필요하다. 정확하게 문제를 파악하는 것이 의사결정 과정에서 중요한 단계이다.

2) 대안의 개발

문제가 주어지면 어떠한 의사결정을 할지 그에 대한 해결책을 개발한다. 해결책은 대안이라고 하며, 여러 정보를 수집하고 이를 분석한 다음 주어진 문제를 가장 잘 해결 할 수 있는 대안을 검토하고 작성한다. 대안의 개발에서 가장 중요한 것은 문제를 풀 수 있는 해결책이며, 이러한 해결책은 창의성을 바탕으로 만들어 낼 수 있다. 그러므로 해결책을 만들 경우에는 창의성을 극대화하는 방법을 사용한다.

3) 대안의 평가 및 선택

앞 단계에서 개발한 대안들이 얼마나 문제해결에 효과적이며 현실적으로 실행 가능한가를 고려하여 최종안을 선택하는 과정이다. 이를 위해 문제를 해결할 수 있는 대안들의 목록을 작성하고 보다 폭넓고 구체적인 정보를 수집하여 각각에 대하여 긍정적, 부정적 결과를 예측하고 최적의 대안을 선택할 수 있도록 여러 가지 합리적인 의사결 방법을 활용하거나 의사결정자의 오랜 경험이나 직관 또는 감각을 활용한다.

4) 대안의 실행

해결책 즉 대안을 선택했으며 선택한 대안을 실행하여 문제를 해결해야 한다. 대안을 실행할 때는 최초 대안을 선택했을 때의 결과가 나올 수 있도록 실행해야 한다. 실행단계에서는 선택된 방안의 문제해결에 대한 기대효과를 감소시키는 요인들이 현실적으로 나타날 수 있기 때문에 이를 효과적으로 관리하여 기대효과를 얻을 수 있도록 하여야 한다.

5) 실행결과의 평가와 피드백

주어진 대안을 실행했으면 그 실행의 결과물을 얻을 수 있다. 문제를 의식하고 문제에 대한 의사결정을 하고, 그 결정에 따라 해결책을 실행하였다면 그 실행의 결과는 크게 문제가 완전히 해결되었거나, 문제가 전혀 해결되지 않았거나, 혹은 문제가 부분적으로 해결되는 3가지의 결과를 얻을 수 있다. 선택한 대안으로 문제를 해결했을 때 당초 예상한 것과 비교 하여 추가적인 해결이 필요한지 확인해야 한다. 추가적인 해결이 필요하다면, 왜 선택된 대안이 완전하게 문제를 해결하지 못했는지 분석하고 그 결과를 피드백 해주어야 한다. 혹은 완전하게 해결되었다면, 왜 완전하게 해결되었는지 그 내용을 분석하여 추후 유사한 문제가 발생 시 해결할 수 있는 노하우로 조직 내에 보관한다. 의사결정 과정에 있어서 수행의 결과를 수시로 점검하고 확인하는 작업은 효과적인 문제해결을 위한 필수적인 활동이다.

3. 의사결정의 유형

1) 정형적 의사결정과 비정형적 의사결정

의사결정이 어떠한 형태를 갖고 있느냐에 따라 정형적 의사결정과 비정형적 의사결정으로 구분할 수 있다. 일상의 경영활동에서 너무나 빈번하게 발생하는 의사결정은 정형적 의사결정이다. 이러한 의사결정은 예측 가능하고, 빈번하기 때문에 조직의 매뉴얼로 만들도록 한다. 매뉴얼을 만들어 놓으면 결정에 일관성을 부여하고 결정자의 시간을 절약하여 보다 중요한 다른 활동에 주의를 집중시킬 수 있다.

비정형적 의사결정은 예외적이거나 새로운 상황에 부응하여 이루어지는 비일상적이고 불특정적인 의사결정이다. 즉 이례적인 상황에서 의사결정이 이루어지며, 개인의 직관, 판단, 창의력 등에 의해 크게 영향을 받게 된다. 이러한 의사결정은 통상 최고 경영층에 의해 이루어진다. 이러한 정형적 의사결정과 비정형적 의사결정의 조직 내 계층분포를 보면 조직의 상층부에 있는 사람은 주로 비구조화된 문제에 관한 결정인 비정형적 의사결정을 많이 하고, 조직의 하위계층에 있는 사람들은 주로 구조화된 문제에 관한 결정인 정형적 의사결정을 많이 한다.

반대로 비정형적인 의사결정은 정형적 의사결정과 달리 새롭게 발생하거나, 비일상적으로 발생하는 의사결정이다. 이전에 경험하지 못한 문제에 대한 의사결정이기 때문에 개인의 직관, 경험, 창의력에 영향을 받는다. 비정형적 의사결정은 조직의 직급이 높아질수록 빈번하게 마주치는 의사결정이다. 조직의 상층부에 있는 관리자는 이러한 비정형적인 의사결정에 익숙해져야 하며, 이러한 문제를 풀 수 있도록 훈련 해야 한다. 대체로 조직의 하위 관리자는 정형적인 의사결정에 마주치는 일이 많고, 대부분 조직에 있는 매뉴얼에 따라서 문제를 해결하면 된다.

2) 전략적, 관리적 의사결정

의사결정의 유형을 전략적 의사결정과 관리적 의사결정으로 구분할 수 있다. 전략적 의사결정은 내부의 자원을 통해서 외부의 환경과 관련된 문제에 대한 의사결정을 한다. 주로 어떠한 사업을 확장 혹은 축소할 것인가. 병원이 어떤 특색을 갖도록 할 것인가. 외부 법률 규제에 따라 어떻게 대응할 것인가, 어떤 시장에서 경쟁을 할 것인가에 대한 의사결정이고 이에 따라 내부 자원을 어떻게 효율적으로 배분할지 결정한다. 이러한 의사결정은 주로 최고경영층에 의해 이루어지고 있다.

관리적 의사결정은 전략적 의사결정과 달리 조직의 제반자원을 활용하여 조직의 성과를 극대화하는 내부 의사결정이다. 예를 들어, 직원들의 동기부여 방법, 인력의 채용과 해고, 원재료의 조달, 정보의 흐름, 유통경로 등이 주된 내용이다. 이러한 의사결정은 조직을 효율적으로 움직이게 하는 의사결정이며 주로 중간 경영층에 의해 이루어진다.

업무적 의사결정은 전략적 및 관리적 의사결정을 더욱 구체화하기 위하여 조직의 여러 자원의 변환과정에서 효율성을 극대화하는 것과 관련된 의사결정을 의미한다. 이러한 의사결정은 주로 하위 경영층인 일선 감독자들에 의해 이루어진다.

4. 의사결정모형

1) 합리적 의사결정모형

합리적 의사결정모형은 의사결정자가 완전한 합리성에 기초해서 최적의 의사결정을 한다고 가정하고 있다. 이 모형은 주로 경제학자들에 의해 지지되어온 전통적 모형 또는 경제적 모형이라고도 한다. 이 모형은 의사결정자가 완벽한 정보를 갖고 있으며, 그 정보를 객관적이고 합리적인 방법으로 처리하여 최적 의사결정을 할 수 있다고 가정한다. 경영자는 자신이 해결해야 할 과제와 최종목표를 분명하게 인식하고 있으며, 문제를 해결해 줄 수 있는 모든 대안과 각각의 의사결정 시 초래할 결과에 대해서도 확실히 알 수 있다고 가정한다. 이러한 가정은 조직이 기대하는 이익을 극대화하려고 하는 의사결정자가 완전히 합리적이라는 전통적인 경제원칙으로부터 출발하고 있다. 경영자는 이상적이기는 하지만 비현실적인 가정을 전제로 한 합리적 행동을 추구하게 되고, 그들의 조직에 대해 가장 바람직한 미래의 결과를 가져올 적합한 의사결정을 도모한다. 그러나 의사결정에 있어서의 합리성은 현실적인 모형이 될 수 없다. 인간의 정신적 능력의 한계와 정보의 취득 시 흔히 발생하는 비용의 제약문제, 그리고 대안을 실행하는 과정에서 발생하는 갈등을 배제하고 있다는 한계점을 지니고 있을 수밖에 없다.

2) 제한된 합리성 모형

합리적 의사결정모형의 한계를 인정하고 실제 의사결정이 수행되는 과정을 설명한 모형으로 제한된 합리성 모형 또는 만족모형이 대두되었다. 이 모형은 의사결정자가 완전한 합리성을 추구하는 것은 불가능하므로 최적의 의사결정이 아니라 만족스러운 의사결정을 행한다고 보고 있다. 이 모형은 합리적 의사결정모형이 전제하고 있는 완전정보와 완벽한 대안 그리고 일관성 있는 선호체계, 완전한 합리성 등을 부인하고 실질적으로 의사결정과정에서 작용하는 심리적, 인지적, 시간적 제한을 중시한다. 제한된 합리성 모형은 의사결정의 합리성을 추구하지만 실제적으로는 제한된 합리성을 따를 수밖에 없다는 점을 강조한다. 이 모형은 만족의 정도라는 것이 주관적이어서 보편성이 문제되며 또한 자칫하면 보수적 결정에 빠질 우려가 있다.

3) 직관적 모형

현재의 경영환경은 매우 복잡하고 변수들이 많다. 동일한 문제가 반복되더라도 과거와는 다른 해결을 요구하는 경우가 많이 발생한다. 문제를 해결할 때까지 주어진 시간도 충분하지 않기 때문에 여러 대안에 대해서 심도 있게 논의할 수 있는 시간이 부족한 경우도 많다. 더구나 미래 환경이 불확실하기 때문에 예측이라는 면에서도 매우 불확실하다. 이러한 상황에서 할 수 있는 의사결정은 직관적 의사결정이 있다. 역사적으로 보면 대기업의 창업자들이 성공사업에 뛰어들 때 수많은 대안을 객관적으로 검토한 뒤 결정하기 보다는 다른 임원들의 반대에도 불구하고 직감으로 밀어 부쳐 성공했던 경우도 많다.

5. 의사결정 기법

1) 브레인스토밍

브레인스토밍은 여러 명이 한 가지 문제를 놓고 무작위로 아이디어를 교환하며 해결책을 찾아내는 것이다. 브레인스토밍의 원리는 한 사람보다 다수인 쪽이 제기되는 아이디어가 많다는 것으로 아이디어의 수가 많을수록 질적으로 우수한 아이디어가 나올 가능성이 많다. 일반적으로 아이디어는 비판이 가해지지 않으면 많아진다 등의 원칙에서 구할 수 있다. 그러므로 브레인스토밍에서는 어떠한 내용의 발언이라도 그에 대한 비판을 해서는 안되며, 오히려 자유분방하고 엉뚱하기까지 한 의견을 출발점으로 해서 아이디어를 전개시켜 나가도록 하고 있다. 브레인스토밍에서 중요한 것은 산출된 생각에 대하여 비판을 하거나 섣부른 결론을 내리지 않아야 하며, 여러 사람들이 자유롭게 제시한 창의적인 아이디어를 종합하여 합리적인 해결책을 모색해야 한다.

브레인스토밍을 성공시키기 위해서는 평가의 금지 및 보류, 즉 자신의 의견이나 타인의 의견에 대하여 일체의 판단이나 비판을 의도적으로 금지한다. 아이디어를 내는 동안에는 어떠한 경우에도 평가를 해서는 안 되며 아이디어가 다 나올 때까지 평가는 보류하여야 한다. 두 번째는 자유분방한 사고이다. 어떤 생각이든 자유롭게 표현해야 하고 또 어떤 생각이든 거침없이 받아들여야 한다. 세 번째는 양산이다. 질보다는 양에 관심을 가지고 무조건 많이 내려고 노력한다. 마지막으로는 결합과 개선이다. 자기가 남들이 내놓은 아이디어를 결합시키거나 개선하여 제3의 아이디어를 내보도록 노력한다.

요약하자면 브레인스토밍은 해결책에 대한 최대한 많은 아이디어를 얻기 위한 것이다. 현대의 경영은 불확실성이 높고 많은 이해 관계자가 관여하기 때문에 단순한 몇 개의 아이디어로 문제를 해결하지 못하는 경우가 많다. 과거에는 타당한 해결책도 현대에 와서는 타당하지 않은 해결책이 될 수 있기 때문에 브레인스토밍을 통해서 이전에는 생각할 수 없었던 창의적인 아이디어를 얻을 수 있으며 이를 개발시켜서 실제로 문제를 해결할 수 있는 대안을 만들 수도 있다. 현대 경영에서 브레인스토밍은 복잡한 문제를 해결하기 위해 구성원의 아이디어를 모으는 수단으로 빈번하게 사용된다.

2) 델파이기법

델파이기법은 미래를 예측하는 질적 예측 방법의 하나로서 여러 전문가의 의견을 되풀이해 모으고, 교환하고, 발전시켜 미래를 예측하는 방법을 말한다. 즉 한 문제에 대해 여러 전문가들의 독립적인 의견을 우편으로 수집한 다음, 이 의견들을 요약, 정리하여 다시 전문가들에게 배부하여 일반적인 합의가 이루어질 때까지 서로의 아이디어에 대해 논평을 유도하는 방법이다. 델파이기법은 전문가 그룹의 활용에서 단점을 극복하고 장점을 취하는 방법으로 이 경우에 설문지 응답은 몇몇 권위자의 영향력을 배제하거나, 다수의견에 단순히 따르는 것을 피하게 하기 위하여 비공개로 이루어진다.

델파이기법은 최종 의사결정이 이루어질 때까지 많은 시간이 소비되기 때문에 빠른 의사결정에는 적용의 한계가 있다. 따라서 일상적이고 단순한 의사결정문제보다는 기술혁신의 예측, 의료시장개방과 잠재시장 예측, 연구개발 경향, 미래의 보건의료시장 등 범위가 넓거나 장기적인 문제를 해결하는데 유용한 기법이다. 델파이기법은 전문가들의 도움을 얻고, 전문가가 각각이 자신의 전문지식을 최대한 활용하기 때문에 전문지식이 많이 필요로 하는 문제에 대한 해결책을 찾는데 도움이 될 수 있다.

3) 명목집단기법

명목집단기법은 구성원들 상호 간의 대화나 토론 없이 의사결정이 이루어지는 기법으로서 토론자들이 한자리에 모여서 의사결정을 한다는 점이 델파이기법과 다르다. 명목집단이라고 하는 것은 구성원들이 한자리에 모이기는 하지만 이들 사이에 말에 의한 토론이나 의사소통이 없는 이름뿐인 집단이라는 의미이다. 투표에 의해 대안을 평가하는 명목집단법은 다른 집단모임에서 발생할 수 있는 적의나 결과의 왜곡 등을 피할 수 있다. 명목집단기법의 순서는 먼저 제시된 문제에 대해 각자가 생각해 본 후 서면으로 집단에 제출하고 이를 제출된 순서대로 칠판이나 차트에 기록한다. 이때 특정 아이디어가 누구의 것인지는 밝히지 않는다. 그리고 칠판에 적힌 모든 아이디어에 대해 장단점과 타당성 등을 검토한 후 아이디어에 대하여 투표를 한다. 이렇게 하여 최종적으로 가장 많은 점수를 얻은 대안을 집단의 결정으로 한다. 개방적인 토론과 의사결정에 있어 타인의 압력이 중요한 장애 요인임을 감안해 볼 때 명목집단법의 가장 큰 장점은 모든 구성원들이 타인의 영향을 받지 않고 독립적으로 문제를 생각해 볼 수 있다는 것이다. 타인에 대한 방해가 없기 때문에 토론과정에서 종종 발생할 수 있는 목소리 큰 사람이 우위에 점하거나, 다른 사람의 의견이 타인에 영향을 미치는 것을 방지할 수 있다. 사람들의 성격은 너무 다양하기 때문에 타인과 불편한 관계를 만들지 않기 위해서 토론에 소극적이거나 다른 사람의 의견에 반하는 의견을 내는 것이 두려워 아무런 의견을 제시하지 않는 사람의 의견도 도출할 수 있다. 또한 의사결정에 걸리는 소요시간이 짧다는 장점이 있다. 반면에 이를 이끌어 나가는 리더의 자질이 갖추어져 있어야 하며 한 번에 한 문제씩 밖에 처리할 수 없다는 단점이 있다.

6. 성공적인 의사결정을 위한 충고

경영진이 많은 경험과 지식을 갖고 있더라도 사람이기 때문에 실수를 하거나 잘못된 의사결정을 할 수 있다. 경영진이 가지고 있는 잘못된 관점과 생각을 바로잡고 합리적이고 올바른 의사결정을 하도록 도와주기 위해서는 경영진 주위 사람의 다양화, 냉철한 현실직시, 실수의 포용, 현장중심의 정보수집, 자신에 대한 정직이 필요하다. 경영진에게 다양하고 창의적인 정보를 제공하고 균형된 시각에서 의사결정을 할 수 있도록 다양한 배경과 지식을 가진 사람들을 주위에 두도록 해야 한다. 이러한 다양성을 확보하기 위해서는 경영진이 싫어하더라도 기존 조직과는 다른 가치관 혹은 생각의 방법이 다른 사람들도 옆에 두고 그들의 의견을 들어야 하고 의도적으로 그러한 사람을 육성해서 문제에 대한 균형된 시각을 가질 수 있도록 해야 한다.

경영진은 현실을 직시하면서 철저히 현실에 기반을 두고 의사결정을 해야 한다. 내적, 외적 환경적 여건을 충분히 고려하지 않고 낙관적, 이상론적 사고에 의해 의사결정을 할 경우 실패할 가능성이 높다. 경영진은 늘 최악의 상황을 가정하고 의사결정을 할 필요가 있다. 최악의 상황은 발생할 가능성이 낮지만, 현대의 복잡한 경영은 언제든지 기업상황을 최악으로 내몰 수 있다. 그러므로 이에 대처할 수 있는 다양한 시나리오와 그에 대한 해결책을 만들어서 만약의 상황에 대비해야 한다. 최대한 다양한 루트를 통해 의사결정에 필요한 정보를 수집하고 여러 상황을 종합적으로 고려하여 냉철하게 결정해야 한다.

의사결정의 질을 높이기 위해서는 실수는 누구나 할 수 있다는 점을 인정하고 가치 있는 실수에 대해서는 충분히 배려하고 조용해야 한다. 잘못된 결정에 대한 비판과 문책만을 앞세울 경우 거짓된 정보와 헛된 기대감에 휩싸여 더욱 왜곡된 의사결정을 초래할 수 있다. 실수에 대해서 관대하지 않는다면 조직원들은 실수가 두려워서 자신의 의견을 낼 수 없다. 조직문화는 경영진이 변해야 변할 수 있기 때문에 경영진이 제도적으로 실수를 장려하고 다양한 의견을 표출할 수 있는 조직 분위기를 만들어야 한다.

의사결정을 내릴 때 반드시 결정 사안과 관련된 현장을 직접 방문 하고 사실에 기초한 의사결정을 내리도록 해야 한다. 머릿속에 있는 가설적 추론에 의존한 결정은 실제 원하는 결과와 많은 괴리를 보일 수 있기 때문이다. 의사결정을 내릴 때 현상만 보지 말고, 그 현상에 대한 가설적인 해결책을 만든 후에 여러 가지 자료들이 가설적인 해결책을 지지할 때 그 가설적인 해결책을 채택하는 것이 좋다. 효과적이고 실패하지 않는 의사결정을 하기 위해서는 이러한 가설적인 해결책을 다양하게 준비해서 수집된 자료들이 자신이 생각하는 가설적인 해결책을 지지하는지 그렇지 않은지에 따라 경영진이 생각하는 가설을 선택해야 한다.

의사결정은 결국 자신에게 얼마나 정직하고 진솔하게 대하는 가의 문제라고 볼 수 있다. 모르는 부분이 있으면 솔직히 인정하고 다른 사람에게 조언을 얻어서 더 나은 의사 결정을 내리려는 자세를 지녀야 한다. 자신의 과오나 부족함을 인정하지 않는 사람은 결코 훌륭한 결정을 내릴 수 없다.

7. 계획수립과정

계획이란 조직의 목표를 달성하기 위해서 누가, 무엇을, 언제, 어떻게, 왜 작업해야 하는지에 관하여 사전에 정해 놓은 것으로 현재의 활동과 미래의 활동을 연결하는 교량역할을 한다. 계획을 잘 세우면 이는 방향을 제시한다. 특히 계획은 세부적으로 세울 때 그 실행이 손쉬워져서 그 계획을 달성할 가능성이 높아진다. 계획을 통해서 조직구성원 모두는 병원의 목표와 이를 달성하기 위해 해야 할 일들을 명확히 알 수 있기 때문에 조직구성원이나 각 부서 간의 협력이 순조롭게 이루어질 수 있다. 경영자는 목표달성에 모든 노력을 집중할 수 있다. 계획은 미래의 불확실성을 감소시킨다. 계획을 통해 경영자는 미래의 변화가능성을 예측하고 이에 적절히 대응할 수 있는 방안을 강구할 수 있어 미래의 불확실성을 감소시킬 수 있다. 계획은 자원의 중복과 낭비를 최소화한다. 계획은 통제의 근거가 된다. 통제활동은 애초에 수립된 계획에 근거하여 이루어진다. 따라서 계획수립이 잘되면 성과의 측정 및 평가활동, 그리고 이에 대한 보상과 처벌이 합리적으로 이루어진다. 성과가 계획에 미치지 못하면 통제과정에서는 목표를 달성할 수 있도록 행동을 수정하거나 계획수립 시 세웠던 목표를 수정한다.

계획은 경영활동의 가장 처음에 하는 활동이다. 어떠한 일을 하여도 계획없이 일을 진행하면 주먹구구식으로 일이 진행되며, 일의 진척상황, 일의 스케줄을 제대로 관리할 수 없다. 계획을 철저히 세운다면, 무슨 일을 할지 조직구성원에게 책임과 역할을 정확히 배분할 수 있으며, 일을 체계적으로 진행하여 일을 진행하면서 발생할 수 있는 자원의 낭비를 최소화할 수 있으며, 스케줄 관리까지 세세하게 할 수 있다. 모든 일의 시작은 철저한 계획수립에서 시작한다고 볼 수 있다.

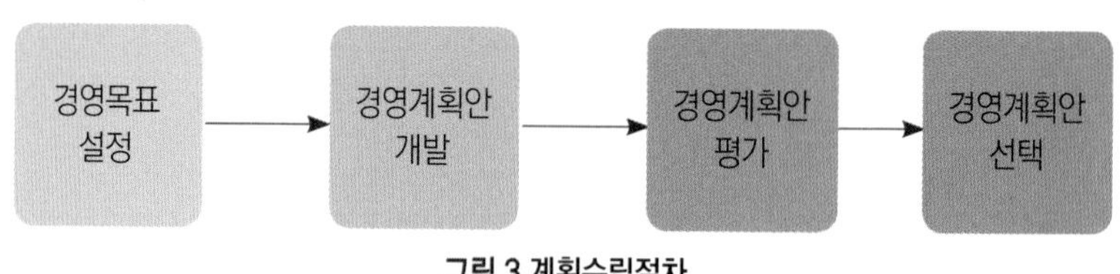

그림 3 계획수립절차

1) 경영목표 설정

경영은 주어진 자원을 바탕으로 조직이 원하는 목표를 달성하는 것이다. 목표가 무엇인지 불분명하면 무엇을 달성하고 무엇을 할지 모르게 된다. 그러므로 계획수립은 조직의 목표를 달성하는데 목적이 있다. 경영목표 설정이란 병원 전체에 대한 목표를 수립하고 이를 달성하기 위한 부문별 목표를 세우는 것을 말한다. 각각의 목표는 현재의 상태와 원하는 상태와의 차이를 해결하여 장차 도달하고자 하는 각각의 기대치를 의미하므로, 이것이 명확하지 않으면 계획 자체를 올바르게 수립할 수 없다. 구체적인 목표를 세울수록 구체적인 계획을 수립할 수 있다. 막연히 국내 최고의 병원이라고 하면, 그 최고가 갖는 의미가 모호하다. 규모면에서 최고인지, 시설면에서 최고인지, 환자 만족도 면에서 최고인지 알 수가 없다. 그러므로 계획 단계에서는 경영목표에 대해서 구체적인 목표를 수립해야 한다.

2) 경영계획안 개발

계획안을 개발하는 것은 한 사람의 의견보다는 여러 사람의 의견을 종합하는 것이 낫다. 경영계획안을 개발하는 방법으로 여러 가지가 있을 수 있지만 일반적으로 사용하는 방법은 크게 최고경영자의 경영의지에 의존하는 하향식 방법, 하위계층으로부터 상위계층까지 의견을 모으는 브레인스토밍과 같은 상향식 방법, 경쟁우위에 있는 병원의 경영활동을 비교, 분석하는 벤치마킹 방법 등이 있다. 계획안은 주어진 목표를 달성하는 방법이다. 주어진 목표를 달성하는 방법은 하나가 아니라 복수의 방법이 있을 수 있다. 특히 비정형적인 문제에 대해서는 창의적인 해결책이 중요하기 때문에 목표를 달성할 수 있는 다양한 계획안을 수립해야 한다.

3) 경영계획안의 평가

여러 가지 대안이 제시되었다면 그 대안 중 가장 효율적인 대안을 선택해야 한다. 시간과 자원이 제한되어 있기 때문에 만들어낸 모든 대안을 실행할 수 없다. 제안된 모든 대안을 평가하는 단계이다. 일반적으로 어떤 상황에 대해서 계획안을 제시했을 때 그 계획안이 너무 많으면 무엇을 선택해야 할지 망설이게 된다. 또한 계획안들은 서로 구분하기 힘든 장단점을 갖고 있고 그 효과가 상황에 따라 달라 질 수 있기 때문에 결정하기가 어렵다. 계획안을 평가할 때는 현실성, 충족도, 적합성을 고려하여 평가해야 한다.

4) 경영계획안의 선택

여러 대안들이 평가된 후 가장 점수가 높은 대안을 선택하는 것은 당연하고도 쉬운 것 같지만 최종선택이 반드시 합리적이지만은 않다. 더구나 가장 높은 점수를 받은 대안이 조직에 가장 좋은 결과를 가져다 주는 것도 아니다. 올바른 대안을 선정할 수 있는 능력은 모든 경영자에게 중요하다. 경영자가 합리적인 의사결정을 내리기 위해서는 전문가들의 견해와 자신의 경험이나 직관을 균형 있게 활용해야 한다.

8. 계획의 유형

1) 장기계획, 중기계획, 단기계획

장기계획은 목표달성을 위한 활동이 장기간에 걸쳐 수행되어야 하는 계획이다. 일반적으로 5년 이상 소요되는 계획을 의미한다. 현대의 병원 환경은 급속하게 변화하고 있으므로 5년 이상의 장기계획이 5년 이후에도 예측된 상황에 정확하게 맞을 가능성은 낮다. 다만 현재 시점에서 병원이 나가야 할 장기적 발전방향을 설정하고 연도별 또는 항목별로 이에 대한 구체적인 계획을 세움으로써 전체적인 지침서로 삼기 위해 필요한 것이 장기계획이다. 장기계획은 늘 수정이 될 수 있다. 5년 전의 경영환경과 현재의 경영환경을 비교해 보면 병원을 둘러싼 법규의 변화, 환자의 인식도 변화, 의학기술의 진보 등으로 5년 전에 세웠던 계획이 불충분할 수 있다. 장기계획을 세웠으면 이를 정기적으로 점검하여 보완하여야 한다. 한번 세운 장기계획이 보완이 없다면 그 유용성은 많이 하락할 수 있다.

중기계획은 향후 2-4년간의 실천계획을 의미한다. 자원의 확장 내지 축소 정도이며 신설내지 폐쇄까지의 시간적 여유를 갖지 않은 상황에서의 계획이라고 할 수 있다. 장기계획을 달성하기 위해서는 중기계획이 필요하고 중기계획의 달성 여부는 주요한 지표를 설정하여 그 달성 여부를 확인해야 한다. 중기 계획역시 시간에 따라 그 계획이 수정될 필요가 있으므로 장기계획을 수정 혹은 보완할 때 중기계획도 수정 보안하면 계획의 달성에 좀 더 가까이 다가갈 수 있을 것이다.

활동기간이 1년 이내인 계획을 단기계획이라고 한다. 일반적으로 단기계획은 일차적으로 하위 경영자나 일반 작업자의 활동에 관한 계획을 다룬다. 장기, 중기, 단기계획의 개념은 업종과 규모 등에 따라 달라질 수 있다. 유통업체에서는 월간계획이 단기계획이고, 1년 계획이 중기계획일 수도 있다.

2) 전략계획, 운영계획

전략계획은 장기적인 관점에서 조직이 나아갈 방향을 정하는 것이다. 최고경영자는 전략적 계획수립 단계에서 조직의 목표를 설정하고 이를 달성하기 위한 자원의 조달과 배분, 그리고 그 수행방안을 결정한다. 즉 전략계획은 포괄적 계획으로 최고경영자가 주축이 되어 장기적인 생존과 성장을 위한 목적 하에 수립되는 장기계획의 성격을 가지고 있다.

운영계획은 전략계획을 실천하기 위한 구체적인 활동이 담긴 계획을 말한다. 인력계획, 생산계획, 마케팅계획 등이 여기에 포함된다. 운영계획은 주로 기능별 업무계획으로서 전략계획보다 혁신적이지 않으며 불확실성의 정도가 낮은 성격을 가지고 있다. 이는 중간 경영자가 주축이 되어 전략계획의 개별 수행방법을 설정하기 위한 목적을 가지고 수립된 중기계획의 성격이 있다. 운영계획은 대체로 매뉴얼에 따라서 운영하면 큰 문제가 발생하지 않고, 그 달성 정도도 매우 높다고 할 수 있다.

9. 효과적인 계획수립 방법

효과적인 계획이 되기 위해서는 구성원들의 참여가 확대되어야 한다. 많은 구성원들의 참여, 특히 그 계획을 직접 실행할 사람들이 계획수립 활동에 참여하도록 하는 것이 좋다. 계획 수행자로부터 현실성 있는 정보와 변화상황에 대한 의견을 들으면서 실시간으로 계획을 세운다면 자신들의 아이디어가 담긴 계획이 되기 때문에 주인의식을 가지고 실행하면 박탈감이나 소외감을 감소시킬 수 있다.

환경변화에 대응한 유연한 계획이 되어야 한다. 환경변화가 별로 없는 안정적인 상황에서는 오늘 세운 계획을 내일 실행해도 되지만 지금처럼 급변하는 경영환경에서는 언제든지 주요한 환경변화가 발생하면 기존 계획을 수정하여 새롭게 만들 수 있어야 한다.

계획을 세울 때는 최고경영자의 지원이 있어야 한다. 병원이 미래에 추진해야 할 방향은 과거를 돌아보고 미래의 계획을 세우는 것이다. 이때 병원의 어느 한 부분만이 아니라 전체의 모습을 살펴보아야 한다. 미래지향적이고 거시적이며 상황을 판단할 수 있는 능력은 모든 경영자들에게 요구되지만 특히 최고경영자에게 더 많이 요구된다. 장기적이고 전략적인 계획을 수립할 때 가장 중요한 것은 최종적인 의사결정의 책임을 지는 최고경영자가 적극적으로 참여하여야 한다는 것이다. 장기계획을 수립하는 단계 마다 최고경영자가 관심을 갖고 주도할 때 계획을 성공적으로 만들 수 있으며 그 실행력도 높아진다.

마지막으로 계획을 수립할 때는 풍부한 정보를 활용해야 한다. 계획활동은 미래를 잘 예측만 할 수 있다면 성공이다. 그런데 미래예측은 정보에 의존할 수밖에 없다. 정보를 잘 수집하고 분석하고 보관, 활용하는 정보시스템을 잘 구축해 놓아야 합리적인 계획안을 선택할 수 있다. 오늘날에는 정보의 수집과 공유를 위한 기술시스템이 발전하고 있으므로 이를 적극적으로 활용하는 것이 계획수립 활동을 성공적으로 수행하는 지름길이 된다.

10. 통제과정

아무리 계획을 잘 세웠다 하더라도 일이 계획대로 진행되는지 수시로 상황을 파악하여 문제가 있을 때 지체없이 고쳐야 계획한 성과를 창출 할 수 있다. 이것이 바로 통제활동이다. 경영활동에 있어서 통제활동은 계획, 조직화, 조정, 지휘 다음에 오는 마지막 단계이며 완성의 의미를 갖는다. 통제 활동이란 경영자가 계획한 여러 가지 일들이 계획대로 바람직한 방향으로 이루어지고 있는지를 확인하고, 문제가 있을 때 수정조치를 취하여 이를 다시 미래의 계획에 반영시키는 활동이다. 통제과정은 계획-실행-피드백에서 피드백에 해당한다고 볼 수 있다. 통제과정에서 알게 된 새로운 결과를 다음 계획 수립에 반영하여 이전보다 더 높고 달성도가 높은 계획을 수립할 수 있다.

1) 통제의 과정

통제활동은 통제방법에 따라 과정이 달라질 수 있지만 일반적으로 네 단계를 통해 이루어진다. 첫 번째는 통제활동의 대상이 되는 부분에 대한 표준을 설정하는 단계이고, 두 번째는 계획한 업무의 성과를 측정하는 단계이고, 세 번째는 설정된 표준과 업무성과를 비교하여, 그 원인을 밝히는 단계이고, 마지막은 밝혀진 원인에 따라 수정조치를 취하고 이를 피드백 하여 다음 계획에 반영되도록 하는 단계이다.

효율적인 통제가 되기 위해서는 우선 표준설정을 알맞게 해 놓고 결과측정이 정확해야 한다 표준이 현실과 거리가 멀게 설정되든지 측정이 잘못되면 통제는 없는 것이 오히려 바람직하다. 그러므로 측정을 위한 표준은 다양하고 이해하기 쉬워야 하며 유연성도 있어야 한다.

통제시기는 빠를수록 좋다. 이는 잘못을 빨리 되돌리기 위해서도 필요한 일이지만 수정할 시기를 놓치게 되면 현재까지 투자한 노력과 원가의 회수비용도 커져서 결국 돌이킬 수 없는 상황에 이를 수도 있기 때문이다. 또한 통제는 자율적으로 이루어지는 것이 이상적이다. 가장 바람직한 통제는 타인이나 제도에 의해 이루어지는 것보다 자신이 스스로 통제, 수정하면서 기준에 맞추어 나가는 것이다. 그리고 통제기준이나 측정도구를 수정할 때에도 실무를 담당하는 당사자 의견을 참여시키는 것이 바람직하다. 통제의 필요성에 대해서도 당사자들에게 미리 이해를 시키고 사전양해를 구하는 것이 좋다. 이렇게 되면 종업원들이 통제시스템에 대한 의문과 불만을 토로할 수 있으며 차후의 수정조치도 쉽게 받아들이게 된다.

기출 문제

01 주식회사의 특징에 관한 설명으로 옳은 것은?

① 자본의 증권화로 소유권 이전이 불가능하다.
② 주주는 무한책임을 진다.
③ 소유와 경영의 분리가 불가능하다.
④ 자본조달이 용이하며, 법인세를 납부한다.

정답 4

주식회사는 여러 주주로부터 자본을 조달하기 때문에 대규모의 자본조달이 용이하며, 주식회사는 법인세를 납부해야 한다.

02 경영에 대해서 올바르게 설명한 것은?

① 조직의 목표를 달성하기 위해 인적, 물적 자원을 활용, 통제하여 목적을 달성하는 것
② 기업을 설립하고 이를 유지하는 것
③ 기업의 구성원의 노동력을 통해서 기업을 유지하는 것
④ 조직의 목표를 달성하기 위해 물적 자원을 잘 활용하는 것

정답 1

경영은 조직의 목표를 달성하기 위해 조직에 있는 인적, 물적 자원을 활용하여 통제하여 그 조직의 목표를 달성하는 것이다.

기출 문제

03 경영에 필요한 4가지 요소 중 틀린 것은?

① 인적 자원
② 자본
③ 정보
④ 마케팅

정답 4

경영에 필요한 4가지는 인적 자원, 자본, 전략, 정보이다.

04 경영자의 역할에 대한 설명으로 옳지 않은 것은?

① 조직의 중요한 의사결정을 한다.
② 조직 내에 갈등이 발생하면 이를 중재한다.
③ 정보를 수립하여 최적의 의사결정을 한다.
④ 직급을 앞세워 고임금을 받는다.

정답 4

직급을 앞세워 고임금을 받는 것은 경영자의 역할이 아니다.

기출 문제

05 병원경영학의 특수성에 해당하지 않는 것은?

① 정보의 비대칭
② 확실한 수요
③ 치료의 불확실성
④ 공급의 법적 독점의 존재

정답 2

소비자인 환자들이 언제 병원의 의료 서비스를 받을지 예측할 수 없기 때문에 수요가 불확실하다.

06 의료소비자 환경으로 옳지 않은 것은?

① 고령화 인구의 증가
② 여성의 경제참여율 증가와 저출산
③ 의료비의 증가
④ 질병 구조의 단순화

정답 4

여러 가지 질병이 복합적으로 발생하고 과거에 없던 질병들이 발생하기 때문에 질병구조는 복잡화되어지고 있다.

기출 문제

07 의료공급자 환경으로 옳지 않은 것은?

① 과거와 동일한 병원경영방식
② 보건의료인력의 공급확대
③ 고용형태의 다양화
④ 조직구성원의 동일한 가치관

정답 4

사회가 민주화, 다원화되기 때문에 조직구성원들은 제각각 자신만의 가치관을 갖고 있다.

08 환경변화에 따른 병원의 대응방안으로 올바르게 설명한 것은?

① 소비자의 욕구를 맞추기 위해서 병원을 전문화해야 한다.
② 정보보다는 병원인력의 경험에 따라 환자를 진료해야 한다.
③ 비보험항목을 증가시켜서 많은 의료매출을 창출해야 한다.
④ 병원의 관점에서 환자를 대하고, 환자의 입장은 중요하지 않게 생각한다.

정답 3

비보험항목을 증가시키면 소비자들이 병원을 찾지 않게 될 가능성이 존재해서 단기 매출은 증가할 수 있더라도 장기적으로 소비자의 신뢰를 얻는 방법은 아니다.

기출 문제

09 많은 대안을 도출하기 위해서 여러 명이 한 가지 문제를 놓고 무작위로 아이디어를 교환하며 해결책을 찾아내는 것은 무엇인가?

① 델파이 기법
② 브레인스토밍
③ 테일러 주의
④ 카리스마적 리더십

정답 2

브레인스토밍은 많은 대안을 도출하기 위해서 여러 명이 한 가지 문제를 놓고 무작위로 아이디어를 교환하며 해결책을 찾아내는 것이다.

---

10 계획수립과정의 순서로 알맞은 것은?

① 목표설정 - 계획안 개발 - 계획안 평가 - 계획안 선택
② 계획안 선택 - 목표설정 - 계획안 개발 - 계획안 평가
③ 계획안 개발 - 목표설정 - 계획안 평가 - 계획안 선택
④ 목표설정 - 계획안 평가 - 계획안 개발 - 계획안 선택

정답 1

계획수립을 하기 위해서는 목표를 설정하고, 다양한 계획안을 개발한 후, 각각의 계획안에 대해서 평가를 한 후에, 최종적으로 계획안을 선택해야 한다.

CHAPTER

병원 조직관리

Dental Management Officer

병원 조직관리

Dental Management Officer

04

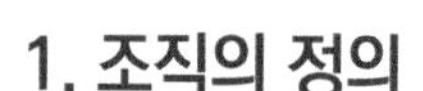

1. 조직의 정의

각각의 조직은 기능과 역할이 다르며, 그러한 조직을 연구하는 학자들이 조직을 보는 관점도 다양하기 때문에 한 단어로 정의하기 어렵다. Mas Weber는 이를 '특정한 목표를 달성하기 위해 상호작용하는 인간의 협력 집단'이라고 설명했다. Barnard는 '공동 목표의 달성을 위해 기꺼이 노력을 기울이는 두 명 이상의 인간이 서로 커뮤니케이션하는 집단'이라고 정의했다. 이러한 정의들을 종합해보면 조직은 '공동 목표의 달성을 위해 다수의 사람들이 상호작용하면서 협력하는 집합체'라고 정의할 수 있다.

2. 조직의 일반적 특성

1) 공동의 목표

조직은 여러 사람의 협력이 필요한 공동의 목표 달성을 위해 존재한다. 즉, 조직은 개인의 힘으로 달성하기 어려운 특정한 공동 목표를 달성하기 위한 수단의 특성을 갖는다.

2) 활동의 분업화

조직은 구성원 공동의 목표 달성을 위해 구성원 개인에게 직무를 분업한다. 즉, 조직의 목표는 조직 구성원 개개인이 맡은 활동 결과의 합이다. 병원의 분업체계는 크게 진료조직, 간호조직, 의 · 진료지원조직, 행정지원조직 등의 단위조직으로 구성된다. 각 단위조직은 실, 과, 팀, 계 등으로 또다시 세분화될 수 있다.

3) 조직 구성원

사람이 없다면 조직은 만들어질 수 없다. 건물, 장비 같은 유형 자원, 의료 서비스 절차나 규칙 같은 무형의 프로세스는 병원의 중요한 구성요소이지만 이러한 자원과 프로세스를 활용하는 인간이 없다면 조직이라고 할 수 없다. 즉, 건물, 장비, 규칙 등의 구성요소는 조직 자체가 아니라 조직의 목표를 달성하기 위한 도구이다.

4) 권한과 통제 시스템

중앙 집권화된 조직이든 분권화된 조직이든 모든 조직은 조직구성원의 업무를 할당, 지시, 조정, 통제하는 권한과 지휘체계를 갖고 있다. 병원의 경우 병원장, 부원장, 실장, 과장, 부장, 계장 등이 각자 권한을 나누어 조직구성원의 업무를 통제, 지휘한다.

5) 환경에 대한 적응

조직은 살아있는 유기체처럼 항상 자신이 위치한 환경과 상호 작용한다. 따라서 조직은 정적인 존재가 아니라 지속적으로 환경에 적응하여 변화하는 동적인 존재이다.

3. 조직의 유형

1) Peter Blau와 Richard Scott의 조직 유형 구분

블라우와 스캇은 조직이 만들어내는 결과물 혹은 산출물의 수혜자를 ① 조직 내부 구성원, ② 조직의 소유주 또는 경영자, ③ 조직의 고객 혹은 거래 대상자, ④ 대중 등으로 나누고 이를 기준으로 아래의 네가지 유형의 조직 유형을 제시하였다.

조직 유형	특징	예시
영리 조직	· 소유주나 경영자가 이윤 추구를 위해 만든 조직 · 이윤극대화를 위해 생산성을 강조 → 조직 구성원의 고용보장, 임금인상 등에서 노사갈등 발생	민간기업, 은행, 증권사, 보험사 등
서비스 조직	· 학교, 공공병원 등과 같이 이윤보다는 사회봉사를 위해 만들어진 기관 · 이익단체가 아니므로 조직의 수혜자는 학교의 경우 교장이 아닌 학생, 공공병원의 경우 병원장이 아닌 환자가 수혜대상 · 개인이 이들 조직과 거래를 한다는 의미는 정규적으로 조직과 접촉한다는 것을 의미	학교, 병원, 군대, 사회사업기관 등

공익 조직	· 중앙정부, 시청, 구청, 동사무소, 공기업 등은 국가나 정부가 소유 · 조직의 수혜자는 불특정 다수의 국민, 시민	정부기관, 지방자치단체, 소방서, 경찰서, 공영방송국 등
호혜적 조직	· 구성원들이 협력하여 서로 도움을 얻기 위해 구성된 조직으로서 구성원이 수혜자 · 구성원의 이익을 도모하기 위해 존재하며 대체로 민주적으로 운영	노동조합, 협회, 정당, 동창회, 동호회 등

2) Amitai Etzioni의 조직 유형 구분

조직에 속한 구성원들은 조직의 규칙, 관습, 명령과 구성원 간의 의사소통을 무시하고 생활하기 어렵다. 모든 구성원들이 자신만의 생활방식을 고수한다면 조직은 유지되기 어려울 것이다. 에치오니는 구성원에게 행동 기준을 부과하고 통제하는 기본 원칙을 기준으로 조직의 유형을 아래와 같이 강제적 조직, 규범적 조직, 공리적 조직으로 나누었다.

조직 유형	특징	예시
강제적 조직	· 통제의 수단이 폭력적이거나 강제적임 · 구성원들이 소외의식을 갖게 됨 · 형벌, 폭력에 대한 공포, 저항할 힘의 부족으로 인해 구성원들이 조직의 지시에 복종함	군대, 교도소, 정신병원, 강제수용소 등
규범적 조직	· 통제의 수단은 존경받는 상사의 지시나 카리스마, 혹은 관습적, 문화적으로 순응해야 한다는 구성원들의 믿음 · 조직의 통제에 개인의 지도력이나 비공식적인 제재 수단이 미치는 영향이 큼	종교단체, 정치단체 등
공리적 조직	· 구성원은 조직으로부터 보상을 받기 위해 조직의 행동기준에 순종하고 지시에 따름 · 통제의 수단으로 승진, 보수 등이 활용됨 · 조직구성원은 이해타산적으로 행동하게 됨	기업, 이익단체, 경제단체 등

4. 조직 운영의 원리

과학적 관리론자들은 규모가 크고 복잡한 조직을 합리적으로 구축하고 이를 효율적으로 관리함으로써 조직 목표를 달성하기 위한 보편적인 원칙을 5가지 조직 운영 원리로 제시하였다. 병원조직의 운영에도 이러한 원리가 적용될 수 있다.

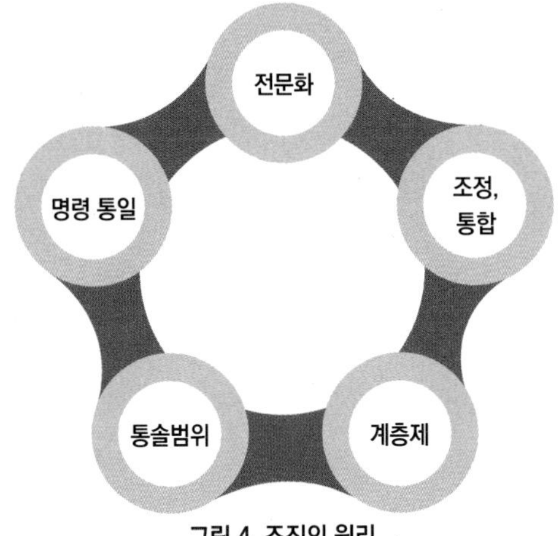

그림 4 조직의 원리

1) 전문화의 원리

조직화의 첫 번째 단계는 업무를 기능별로 세분화하여 각각의 업무를 확정, 전문화하고 이를 조직의 각 부서에 할당하는 것이다. 조직의 가치 창출을 위해 요구되는 업무를 최대한 세분화하고 단순화시키면 업무의 전문화가 가능해지면서 조직 전체적으로 높은 생산성을 달성할 수 있다.

2) 조정, 통합의 원리

현대 사회의 조직은 그 규모가 나날이 커지고 있다. 조직의 규모가 커질수록 세분화, 전문화된 업무 간의 응집력은 저하되고 업무 전체의 복잡성은 증가하였다. 따라서 조직의 목표를 달성하기 위해 분업화, 전문화, 세분화된 다양한 직무 활동을 전체적인 관점에서 통합하는 조정 활동의 중요성이 부각되었다. 조정 활동은 분업화된 개인 또는 집단의 작업 활동을 연결시키는 활동이다. 조정 활동이 원활하게 수행되기 위해서는 분업화된 활동에 대한 상호적 이해, 하위 조직 간의 적절한 의사소통, 작업 흐름을 해치지 않는 협력 등이 필요하다. 특히 자신이 소속된 하위 조직의 이익만을 추구하여 다른 하위 조직을 배타적, 비협조적으로 대하는 할거주의를 해소하는 것이 조정 활동의 중요한 과제이다.

3) 계층제의 원리

계층의 다른 표현은 수직적 분화이다. 즉, 조직의 업무가 상하 관계 하에서 분업화되어 있음을 의미한다. 계층화된 조직의 지시와 보고 경로는 최고 경영진에서 실무 담당자까지 수직적으로 계층화된 구조를 갖는다. 이는 권한과 책임의 정도에 따라 직무의 순위를 다르게 한 피라미드 구조로서 피라미드의 상위에 있는 직무가 하위의 직무를 지휘하거나 감독하게 된다. 계층화된 조직에서 조직의 모든 권한과 책임은 형식상 최고관리자에게 있으며 조직 규모, 업무의 전문화 및 다양성 정도, 구성원 수 등이 증가함에 따라 계층의 수도 증가하는 경향을 보인다.

조직은 계층제를 통해 업무분담, 권한위임의 통로, 의사소통의 통로, 승진의 통로를 확보할 수 있으며 지휘와 감독을 통해 조직의 질서와 통일성을 획득할 수도 있다. 하지만 계층화된 조직에 존재하는 상하 계층 간의 권력 불균형은 구성원의 업무 의욕을 저하시킬 수 있다. 계층 간의 의사전달의 제약이 있거나 왜곡이 발생할 경우 조직의 정책 결정이나 목표 설정에 지장이 발생하기도 한다. 또한 계층제는 조직구성원이 창의성 발휘, 문제해결, 위험감수를 기피하게 만들고 최고경영자의 의사결정에 과도하게 의존하게 만들 수 있다. 계층제의 부작용이 극대화될 경우 조직의 경직성이 심화되고 계층 간의 불신이 가중되어 조직의 목표 달성이 어려워지기도 한다.

4) 통솔범위의 원리

통솔범위의 원리는 상급자 한 사람이 적정 수의 하급자를 통제하도록 해야 효과적으로 병원을 경영할 수 있다는 것이다. 경영자는 자기에게 보고하는 하급자의 수가 지나치게 많아지면 통제와 조정이 어려워진다. 병원의 조직을 구성할 때 해당 부서의 업무에서 요구되는 적정 수의 인원과 경영자가 효과적으로 관리할 수 있는 하급자의 수를 면밀히 조사할 필요가 있다.

5) 명령 통일의 원리

명령 통일 원칙은 관료 조직이나 군대와 같이 계층화된 조직에서 개개인의 업무 담당자가 언제 어디서나 하나의 명령계통, 즉 단일한 직속 상사의 명령에 따라 업무상의 의사결정을 해야 한다는 것이다. 명령 통일의 원리는 조직 내 혼란을 방지하고 업무 상 책임소재를 명확히 하는 것을 목표로 한다. 하지만 현대 사회의 조직에서 조직의 분권화, 권한 위임의 중요성이 높아짐에 따라 명령 통일 원리의 효과성은 약화되고 있다.

명령 통일 원리의 장점은 조직구성원들이 누구에게 보고하고 누구로부터 보고를 받는가를 명확화함으로써 조직원의 지위에 안정감을 준다는 점이다. 즉, 조직 구성원들이 자신을 통제하거나 자신에게 명령을 내리는 상관이 누구인지, 업무상 의사결정 잘못에 대한 책임이 누구에게 있는지에 대해 명확하게 알고 업무를 할 수 있다는 것이다. 하지만 통일된 명령체계에서는 상사 부재 시 긴급한 상황에 대한 업무적 대응이 어려워지고 조직이 경직화됨에 따라 조직 전체적으로 외부 환경 변화에 빠르게 대응하기 어렵게 되는 것이 단점으로 지적된다.

5. 조직이론의 전개 과정

1) 고전적 조직이론

고전적 조직이론은 산업화시대가 시작된 1900년대 초에 생산성을 높이고 노사문제를 해결하려고 했던 일련의 연구팀들에 의해 등장하여 1930년대에 완성된 이론이다. 고전적 조직이론은 조직의 공식적, 합리적 운영에 적합한 조직 구조를 구성하고, 조직의 자원 절약과 능률 향상, 최고관리층에 의한 행정통제에 기반한 합리적 조직 관리에 중점을 둔다.

(1) 고전적 조직이론의 특징

① 분업: 조직구성원의 능력을 최적화할 수 있도록 일정한 업무를 구성원에게 배분하여 조직의 전문화와 능률성을 확보

② 계층적 과정: 수직적인 계층 조직 하의 명령 통일, 권한과 책임의 위임 등을 실현

③ 구조: 구조를 통해 조직 구성 요소 간 효과적인 수직적 관계를 형성, 유지

④ 통솔범위: 관리자가 효과적으로 통제할 수 있는 하급자의 수를 통솔범위로 유지

(2) 과학적 관리론

과학적 관리론은 최선의 노동생산성 극대화 방법을 찾아내기 위해 경영학자들

에 의해 개발된 관리이론이다. 과학적 관리론은 구성원들을 기계의 부속품으로 취급하는 기계적 인간관에 기초한다. 즉, 조직구성원을 조직의 목표달성 도구 혹은 기계로 보는 관점이다. 과학적 관리론은 개별 작업을 가장 단순한 동작 단위로 분해하고 근로자들의 동작, 작업순서, 작업시간을 고려한 작업 당 표준시간을 도출하는 데 초점을 맞추었다. 근로자가 일일 목표 작업량을 초과 달성하면 생산성 향상의 대가로 보너스를 지급하는 보상 체계를 바탕으로 과업관리의 과학화를 추구하였다. 1911년 테일러가 과학적 관리법을 제시한 이후로 과학적 관리론은 테일러리즘이라고도 일컬어진다. 포드는 테일러리즘을 토대로 컨베이어벨트 시스템 기반의 자동차 공장관리방식을 개발하였다. 포드의 과학적 관리법은 간소화, 표준화, 전문화를 구현하였다. 과학적 관리법의 특징은 일반적으로 다음의 다섯 가지 원칙을 갖는다.

① 과업관리: 전체 작업을 기획 · 설계한 경영자와 실무를 수행하는 작업자가 서로 분리되어 경영의 분업화 · 전문화 실현함
② 과학적 인사: 작업자의 채용, 훈련 등에 대한 규정이 있으며 규정에 따라 작업이 정해짐
③ 성과보상: 작업 생산성이나 업적이 클수록 작업자에게 더 많은 보상을 지급
④ 감독기능의 전문화: 감독자의 관리업무도 작업자에 대한 감독, 작업자 훈련, 품질관리 등 기능별로 전문화함
⑤ 노사화합: 사용자는 노동자에게 성과에 걸맞는 정당한 보상을 하고 노동자는 사용자와의 적절한 협력을 통해 조직의 효율성을 향상시킴

과학적 관리법은 오늘날도 조직관리에 있어 중요한 부분을 차지하고 있으나 이에 대한 비판도 많다. 경영에서 상대적으로 인간적 요소를 등한시하여 인간을 기계 취급하면서 인간의 경제적 욕구만을 지나치게 강조했고, 경제적 욕구보다 상위 욕구도 있음을 간과하였다.

2) 신고전적 조직이론

과학적 관리법은 인간을 지나치게 기계처럼 대하고, 작업을 과도하게 세분화함으로써 조직구성원의 인간 소외, 흥미 상실, 인간성 무시 등의 폐해를 낳았다. 신고전적 조직이론은 이에 대한 비판에서 제기되었다. 하버드대학의 메이오 교수는 과

학적 관리론의 문제점을 파악하고 개선책을 강구하기 위해 1927년부터 1932년까지 미국 시카고에 있는 서부전기주식회사 호손 공장실험을 진행하였다. 이 실험의 목적은 과학적 관리법에 의한 경영이 기업의 생산성 향상에 도움이 되는지를 검증하는 것이었다. 실험결과 기업의 생산성 향상은 효율적인 작업환경 같은 외부적 요인보다는 작업자 자신의 심리적, 내부적 요인과 더 밀접한 관련이 있다는 사실이 밝혀졌다.

이 실험에서는 기업의 생산성은 권한체계, 규정 준수와 같은 구조적 요인보다는 상사나 동료와의 인간 관계, 조직 문화, 조직의 분위기, 조직 내 비공식 집단 등 인간 관계와의 관련성이 더 높다는 것이 밝혀졌다. 이러한 발견을 통해 제시된 신고전적 조직이론은 구성원들을 기계가 아닌 인간으로 대우해야 한다는 전제를 갖고 있어 인간 관계론으로도 불린다. 인간 관계론은 조직구성원 개개인의 욕구, 동기, 태도를 중심으로 개인 간, 집단 간, 개인, 집단, 조직 간에 형성되는 사회적, 심리적 관계를 분석하는 이론이다.

(1) 인간 관계론의 핵심 내용

인간 관계론은 조직은 인간들의 상호작용을 통해 형성된다는 전제 하에 조직운영의 초점을 비용 효율화에서 감정관리로 이동시켰다. 인간 관계론에서는 다음과 같은 점을 강조한다.

① 인간중심의 경영: 조직의 성과는 작업 프로세스의 능률과 합리성보다는 구성원의 직무만족, 구성원에 대한 자율권 부여, 칭찬과 인정 등에 의해 좌우됨
② 비경제적 요인의 우월성을 강조: 구성원 개인의 행동은 경제적 욕구 외에도 사랑, 미움, 자부심, 소속감 등 사회적, 인간적 욕구에 의해 결정됨
③ 비공식집단의 중요성 강조: 조직 전체와 조직구성원 개개인의 행위는 규정과 제도에 기반한 공식집단보다 비공식집단에 의해 좌우되는 경우가 더 많음
④ 리더십, 의사소통, 참여의 중요성: 민주적인 리더십 발휘, 원활한 의사소통, 의사결정 참여 확대 등을 통한 구성원의 심리적 욕구를 충족시킴으로써 조직의 생산성이 향상됨

(2) 인간 관계론에 대한 경영학계의 비판

인간 관계론은 종업원의 심리적 만족도가 높아지면 조직의 생산성도 증가한다고 주장한다. 따라서 종업원 간의 갈등을 완화, 제거함으로써 종업원들이 심리적으로 행복할 수 있게 만드는 것이 최고 경영진의 중요한 역할이라고 정의한다.

이러한 주장은 인간의 본성에 대해 과도하게 이상적인 관점을 전제로 하고 있으며 비공식적 조직의 중요성을 너무 강조한다는 비판에 직면했다. 심지어 인간 관계론은 '조직은 없고 인간만 있다'는 가정에 기초한다는 비판론도 존재한다. 인간 관계론이 조직의 성과 향상에 구성원의 사회적, 심리적 측면의 관리가 중요하다는 것을 강조한 것에 비해 조직 구성원 내면의 미묘한 상태를 과학적으로 밝혀내지 못하고 지식의 체계화에도 실패함으로써 인간의 감정적 요소와 조직의 성과를 연결시키지 못했다는 주장도 있다.

3) 현대조직이론

고전적 조직이론과 신고전적 조직이론의 한계를 극복하기 위해 제시된 다양한 이론들을 통틀어 현대조직이론이라고 한다. 현대조직이론은 고전적 조직이론과 신고전적 조직이론이 설명하지 못하는 조직 내부의 복잡하고 다양한 현상을 동태적으로 해석하기 위한 이론들로 구성되어 있다. 대표적인 이론으로 체제이론과 상황이론이 있다.

(1) 체제이론(System theory)

체제이론에서는 조직을 생산 기계가 아닌 생존을 위해 환경에 적응하는 생물학적 유기체와 같은 존재로 본다. 조직을 하나의 체제, 즉 시스템으로 이해하는 것이다. 살아있는 유기체인 조직은 다양한 이해관계자 집단과 상호작용 하면서 유지되고 성장한다. 체제이론의 속성은 크게 4가지로 구성된다.

① 목표지향성: 모든 시스템은 지향하는 목표가 있다. 예를 들어 생물이라는 시스템은 생존과 번식을 지향한다. 인간의 경우는 생존, 안전, 소속, 애정, 존경, 자아실현 등의 목표를 추구한다.

② 환경적응성: 시스템은 외부 환경과의 지속적 상호작용을 통해 존재할 수 있다. 외부 환경과의 상호작용 속에 실패한 조직은 생존의 위협에 직면한다. 따라서 조직은 외부 환경에 적응하고 진화하는 개방 시스템으로서 환

경과 동태적으로 상호작용하면서 균형을 유지해야 한다.

③ 분화와 통합성: 모든 시스템은 하위 시스템과 이를 포괄, 통합하는 전체 시스템으로 구성된다. 다수의 하위 시스템은 하나의 전체로 통합된다. 자신을 포함하고 있는 전체 시스템이 없을 경우에 하위 시스템은 존재할 수 없다. 각각의 하위 시스템은 서로 밀접하게 의존하고 있다. 전체 시스템은 이러한 상호 의존관계를 토대로 운영된다.

④ 투입-전환-산출 과정: 시스템은 외부환경으로부터 획득한 투입물을 내부 변환 과정을 통해 산출물로 만들어내는 과정을 반복적으로 수행한다. 병원은 외부환경에서 획득한 시설, 장비, 보건의료인력 등을 조합하여 환자 진료, 치료라는 내부 변환과정을 거치며 그 결과 의료 서비스라는 산출물을 만들어 낸다. 의료 서비스가 외부환경으로부터 좋은 피드백을 받으면 병원은 수익을 확보할 수 있게 되며 수익은 다음번 순환의 투입물 확보에 사용되면서 투입-전환-산출 과정이 반복적으로 순환된다.

(2) 상황이론(Contingency theory)

상황이론은 보편적으로 적용될 수 있는 최선의 조직관리 전략은 없다고 전제한다. 즉, 조직의 성과는 조직의 상황, 즉, 조직구조와 외부 환경 간의 적합성, 조직 내 하위 시스템 간의 적합성과 조화 여부 등에 따라 달라진다고 보는 것이다.

6. 공식적 조직과 비공식적 조직

공식적 조직이란 구체적인 과업수행이나 목표달성을 위해 만들어진 조직으로서 법률, 규칙, 직제 등을 기반으로 조직되고 운영된다. 공식적 조직에서는 분업 체계에 따라 조직 구성원 간의 역할과 권한이 규칙으로 명시된다. 공식적 조직은 조직 목표달성에 필요한 과업 실행 수단이기 때문에 명확한 목표에 기반한 업무의 효율성 향상을 추구한다.

비공식적 조직은 조직의 목표 달성이 아닌 조직을 이루는 구성원들의 개인적 이해관계나 필요를 충족시키기 위해 만들어진다. 비공식적 조직의 대표적인 예로서 사내 동호회가 있다. 비공식적 조직은 구성원 간의 인간 관계나 친밀함에 의해 자율적, 자생적으로 만들어지는 소집단으로서 효율의 논리보다는 감정의 논리에 의해 운영되며 나름의 집단 규범을 갖고 구성원의 행동을 제약하기도 한다.

조직 구성원은 비공식적 조직에 속함으로써 귀속감, 일체감 등의 심리적 안정감과 만족감을 얻을 수 있다. 같은 비공식적 조직에 속한 구성원 간에는 의사소통 또한 활발하게 일어난다. 따라서 비공식적 조직은 다양한 개인의 심리적 욕구, 인간적 욕구 등을 해소시켜 주고, 조직 내 부서 간의 정보 흐름을 촉진함으로써 공식적 조직의 능률을 향상시키는 순기능을 한다. 하지만 비공식적 조직에 속하지 않은 구성원들은 심리적으로 소외감을 느낄 수 있으며 구성원들이 비공식적 조직 활동에 과도하게 몰입하게 되면 조직의 목표 달성에 악영향을 미칠 수도 있다.

7. 조직 구조의 유형

조직을 구성하는 틀을 조직구조라고 한다. 일반적으로 조직구조의 수직적 측면을 보면 계층제를 기반으로 명령 통일이 가능하도록 구조화되어 있고, 수평적 측면을 보면 기능, 전문성 등을 기준으로 분업화된 단위 조직으로 나누어져 있다. 분업화된 여러 단위 조직이 공통의 목표를 추진할 수 있도록 통제, 조정하는 통합조정의 기능도 조직구조에 녹아 있다. 조직 구조는 조직이 추구하는 목표에 따라 적합한 구조가 다르다. 대표적인 유형으로 라인 조직, 라인스탭 조직, 매트릭스 조직 등이 있다. 병원 조직의 구조 설계 시에도 목표에 적합한 조직 구조를 선택하는 것이 중요하다.

1) 라인조직

모든 조직은 기본적으로 라인조직으로 출발한다. 라인조직에서는 최고경영자에서 하위계층에 이르기까지 명령체계가 직선적으로 연결되어 있어 군대식 조직이라고도 불린다. 라인조직에서는 아직 과업의 분업화, 전문화 등이 제대로 진전되지 않은 경우가 많다. 따라서 스타트업, 소기업, 소규모 병원 등에서 많이 볼 수 있다. 라인조직의 구성원들은 가족적 일체감을 바탕으로 상호 협동을 통해 조직의 생존과 목표달성을 위해 몰입한다.

2) 라인스태프 조직

라인조직으로 출범한 조직이 성장하여 규모가 커지게 되면 최고경영자가 더 이상 혼자서 모든 업무에 대한 관리와 통제를 하기 어려워진다. 스태프는 기획, 인사,

회계, 정보 등에 대한 전문적 지식과 노하우를 바탕으로 라인의 의사결정자에게 자문, 권고 등을 수행함으로써 경영활동을 지원한다.

라인스태프 조직은 현대 사회에서 가장 일반화된 조직 구조로서 경영환경이 안정적인 상황에서 효과적인 조직형태이다. 따라서 많은 기업과 일정규모 이상의 병원들이 라인스태프 조직을 채택하고 있다. 스태프들은 라인의 최고경영자에게 조직이 나아갈 바람직한 방향을 제시하거나 조직목표 달성에 필요한 자문/컨설팅을 할 수는 있지만 라인부서에 대한 직접적인 명령권한을 갖지는 못한다. 이러한 특성 때문에 라인조직을 수직적 조직, 스태프조직을 수평적 조직으로 지칭하기도 한다.

3) 매트릭스 조직

매트릭스 조직은 조직의 목표 달성에 필요한 세부 활동, 기능에 따라 수직선으로 편성된 조직에, 수평적 형태의 프로젝트 조직 구조를 더함으로써 조직의 효율성과 유연성을 동시에 추구하는 조직 형태이다. 매트릭스 조직은 행렬식 조직이라고 지칭하기도 한다. 매트릭스 조직에서는 이중적인 권한체계가 운영된다. 즉, 전통적인 계층제 조직에서와 달리 조직 구성원 개인이 기능적 조직, 프로젝트 조직에 동시에 속해 있기 때문에 두 명 이상의 상급자의 지시를 받는다. 매트릭스 조직에서는 상하 계급이 아닌 개인의 전문성을 우선으로 조직구조가 짜여지고, 전문성 있는 구성원에게 많은 권한이 부여되며, 의사결정 과정이 민주적으로 운영된다.

매트릭스 조직은 기능적 조직의 장점과 프로젝트 조직의 장점을 모두 갖는다는 장점이 있다. 즉, 조직이 보유한 인적자원을 효율적으로 활용하면서, 외부환경의 변화에도 유연하게 대처하는 데 적합하다. 하지만 개인이 기능별 상급자와 프로젝트 상급자로부터 서로 상충되는 명령을 받는 경우 지휘체계의 혼선이 발생하여 조직 내 갈등을 발생시키는 단점도 있다. 매트릭스 조직을 운영할 때에는 프로젝트팀의 업무, 역할, 책임과 개인에 대한 성과평가 체계를 정밀하고 공정하게 설계/운영해야 한다.

8. 병원 조직의 구성과 기능

1) 부서의 구성과 기능

(1) 진료부서

기능	설명
진료	· 임상진료 각 과는 외래진료실, 응급실, 병동, 수술실, 분만실 등에서 환자진료기능을 수행 · 임상병리과, 해부병리과, 진단방사선과, 핵의학과는 임상진료과의 진단에 필요한 검사를 수행 · 마취과는 수출처치에 필요한 마취를 담당 · 치료방사선과, 재활의학과는 치료를 요하는 환자의 치료 및 물리치료를 담당
교육/연구	· 병원의 교육기능에 따라 의학교육, 학생의 임상실습, 전공의 수련 및 지도를 담당 · 의학, 의료기술, 새로운 진단, 치료기법의 개발을 위한 임상연구를 수행 · 새로운 의학정보의 교류를 위한 각종 학회활동 수행 · 전문진료 분야별 연구소를 통한 연구활동 수행
공중보건	· 진료 각 과에서는 병원의 방침에 따라 지역사회의 진료봉사, 지역주민에 대한 보건교육, 예방접종, 개원의사 및 의료보조 인력의 재교육 등 지역사회주민의 건강증진을 위한 각종 활동을 수행

(2) 간호부서

기능	설명
간호	· 외래, 응급실, 병동 기타 의료시설에서 환자간호를 수행하고 특수진료시설에서 의사의 진단, 치료행위를 지원 · 환자 및 환자보호자의 건강교육과 원내생활에 관한 안내
교육/연구	· 병원의 교육범위에 따라 간호학생의 임상실습과 간호사, 간호조무사의 기초직무교육을 수행 · 대규모 병원의 경우 간호업무와 간호행정 관련 연구기능 수행
행정	· 환자나 병원에 관한 정보, 간호행정, 진료비 정보를 제공하고 진료시설의 유지보수, 중앙공급 등에 필요한 행정기능을 담당

(3) 진료지원부서

기능	설명
중앙공급실	· 린넨류 및 피복, 침구류 등을 공급, 재생 · 진료용 의료기구, 의생재료를 소독, 멸균하여 공급 · 각종 공급 기자재의 구매, 지불에 관련된 행정기능 수행
의무기록실	· 의무기록을 접수, 보존, 행정관리 · 각종 질병의 통계, 환자 통계 작성 · 미완성된 의무기록을 검색하여 보완토록 조치
영양실	· 환자식이의 식단표를 작성하고 조리 급식 수행 · 환자의 영양 지도 및 상담 수행 · 급식재료의 구매, 수령에 관련된 행정기능을 수행

(4) 약제부서

기능	설명
조제/투약	· 외래, 입원환자의 처방 의약품 조제, 감사, 투약 담당 · 병원의 약무 기능 수준에 따라 약품제제 기능 수행 가능
교육/연구	· 대규모 병원의 경우 임상약학의 교육, 수련과 의약품의 동물실험, 신약개발, 신약 정보의 제공을 위한 연구기능을 수행
행정	· 의약품의 수불, 독약의 행정관리 등에 관련된 행정기능을 수행

(5) 행정 및 관리부서

기능	설명
행정사무	· 환자의 접수, 수속, 진료비 계산, 청구 및 제반 사무를 수행 · 직원의 채용, 배치, 급여, 직원교육 등 인사행정 사무를 수행 · 현금출납, 수지계산, 자금행정관리와 관련된 제반 사무를 수행 · 재산과 물품의 구입, 수령, 유지, 행정관리 제반 사무를 수행 · 전공의 수련, 학생교육, 의학연구 등 의료진의 교육, 연구활동을 지원하는 행정적 업무를 수행 · 문서, 직인, 업무연락, 비상계획, 민방위, 예비군, 소송 등의 병원의 운영과 유지에 필요한 제반 행정적 업무를 수행

시설행정관리	· 건물, 의료기기, 기계, 전기, 통신설비, 구축물, 조경의 유지보수와 운용에 관한 업무를 수행 · 전력, 유류 등 각종 에너지의 사용에 관한 업무를 수행 · 청소, 경비, 소방, 기타 정소관리 업무를 수행
계획, 통제	· 병원계획, 장,단기 사업계획, 예산결산 및 경영분석, 평가 수행 · 회계에 관한 업무를 수행 · 최고경영층에 대한 자문, 최고의사결정기구의 회의운영 사무

2) 관리 주체별 기능

(1) 병원이사회

병원이사회의 기능은 병원정책에 참여하는 정도에 따라 다르다. 출연금(정부 또는 지역사회주민), 기부금(개인 또는 단체)으로 운영되는 이사회는 병원 행정의 법적, 도의적 책임을 광범위하게 진다. 개인 투자금으로 설립 · 운영되는 병원의 이사회는 국가, 지역사회에 대한 사회적 책임을 적게 부담한다. 이사회는 병원계획과 운영방침에 관한 주요 의사결정을 하고, 병원조직 통제와 경영 효율성에 대한 책임을 지며, 외부 자원 확보를 위해 노력하고, 외부 혹은 지역사회에 병원을 대표하는 기능을 한다.

(2) 병원장

병원장은 병원이사회가 정한 경영 정책의 집행을 총괄한다. 병원장은 병원의 최고경영자로서 병원운영에 대한 전반적인 의사결정 권한과 책임을 지고 병원의 외부(국가, 지역사회, 의사회 등)에 대해 병원을 대표한다. 병원노조와의 단체협약과 노사분규의 예방 · 해결의 책임도 병원장에게 있다.

구체적으로 병원장의 직무는 병원의 경영 목표 · 계획 수립, 병원 조직 · 기능의 효율적 운영 관리, 병원 구성원의 안전보장과 평가 · 보상 정책 결정, 외부 이해관계자(국가, 지역사회, 언론, 투자자 등) 관리 등이다.

(3) 부서별 관리자

병원의 부서별 관리자는 담당한 부서의 과업에 대한 권한과 책임을 가지며 병원장을 포함한 최고경영진과 구성원 간의 연결고리 역할을 한다.

구체적으로 부서관리자의 직무는 부서 또는 특정 프로젝트 목표의 설정과 계획 수립, 부서별 경영 자원(인력, 시설, 자금 등)의 조직화, 인력의 배치와 과업 지시, 부하 직원의 성과 평가 등이다.

기출 문제

01 조직의 특성으로 올바르지 않은 것은?

① 공동의 목표가 있다.
② 업무가 분업화되어 있다.
③ 구성원이 존재한다.
④ 권한에 대한 책임과 의무가 불명확하다.

정답 4

조직은 권한에 대한 책임과 의무가 확실하여, 조직구성원의 역할 구분이 잘 되어 있다.

02 블라우(Blau)와 스캇(Scott)이 제시한 유형별 조직에 대한 설명 중 적절하지 않은 것은?

① 서비스 조직은 병원, 학교, 군대 등과 같이 사회봉사를 목적으로 하는 조직으로서 국가나 정부가 소유하거나 경영한다.
② 영리 조직은 이윤 극대화를 추구하므로 임금 결정에 대한 노사분규가 많이 발생한다.
③ 공익 조직은 불특정다수를 위해 존재하는 정부나 공기업을 말한다.
④ 호혜적 조직은 구성원들의 상호 협력을 통해 이익을 추구하는 조직이다.

정답 1

서비스 조직은 국가나 정부 외에도 개인, 기업 등이 소유하거나 경영하기도 한다.

03 에치오니의 조직분류에 해당하지 않는 것은?

① 강제적 조직
② 공리적 조직
③ 규범적 조직
④ 자율적 조직

정답 4

에치오니의 조직분류는 강제적 조직, 공리적 조직, 규범적 조직으로 분류할 수 있다.

기출 문제

04 다음에서 설명하는 개념을 순서대로 바르게 나열한 것은?

(A) 조직 내 계층 수에 의해 측정될 수 있다.

(B) 조직 전체의 목적 달성을 위한 활동이 기능에 따라 분화되어 있는 것

(C) 조직구성원들이 조직의 업무를 횡적으로 나누어 수행하는 형태

① (A) 분업화,(B) 수평적 분화,(C) 수직적 분화

② (A) 분업화,(B) 수직적 분화,(C) 수평적 분화

③ (A) 수직적 분화,(B) 분업화,(C) 수평적 분화

④ (A) 수평적 분화,(B) 수직적 분화,(C) 분업화

정답 3

수직적 분화는 조직 내의 상하 관계의 계층의 수로 측정될 수 있다. 조직 전체가 수행하는 활동이 기능에 따라 나누어진 상태를 분업화라고 한다. 분업화된 조직에서 구성원 간에 기능적 업무가 위계가 존재하지 않는 횡적인 형태로 나눠진 상태를 수평적 분화라고 한다.

05 병원조직의 운영원리에 해당하지 않는 것은?

① 전문화의 원리

② 조정, 통합의 원리

③ 통솔범위의 원리

④ 수평의 원리

정답 4

병원조직에서 수평의 원리는 존재하지 않는다.

기출 문제

06 최소한의 노동과 비용으로 최대의 생산효과를 확보할 수 있는 최선의 방법을 찾아내기 위한 관리이론으로 테일러가 창시한 이론은 무엇인가?

① 감성적 조직이론
② 과학적 관리론
③ 현대적 조직이론
④ 호손의 이론

정답 2

과학적관리론은 테일러가 창시한 관리이론으로 최소한의 노동과 비용으로 최대의 생산효과를 확보할 수 있는 최선의 방법을 방법을 찾고자 하였다.

07 신고전적 조직이론은 구성원들을 인간으로 대접해야 한다는 것이므로 인간 관계론이라고도 불린다. 인간 관계론에 대한 설명으로 옳지 않은 것은?

① 인간중심의 경영을 강조한다.
② 비경제적 요인의 우월성을 강조한다.
③ 비공식집단이 중요하다.
④ 의사소통, 리더십과 참여의 중요성이 낮다.

정답 4

인간 관계론에서는 의사소통, 리더십과 참여의 중요성이 강조되고 있다.

08 비공식 조직에 대한 설명으로 적절하지 않은 것은?

① 조직 구성원들의 개인적 이해관계를 기반으로 만들어진다.
② 구성원 간의 친밀함에 의해 자율적으로 만들어진다.
③ 감정의 논리에 의해 운영되는 조직 내 소집단으로 특정한 운영 규범이 없다.
④ 구성원 간 파벌 싸움이나 따돌림 등의 문제를 일으킬 수 있다.

정답 3

비공식 조직에서도 나름의 규범을 갖춰 구성원들의 행동을 제약하기도 한다.

기출 문제

09 조직을 기계로 간주하는 이전의 개념에서 생물학적 유기체로 보는 관점이 체제이론이다. 체제이론에 대한 설명으로 올바르지 않은 것은?

① 어떤 시스템이든 그것이 시스템으로 기능하기 위해서는 목표지향성을 가져야 한다.
② 시스템은 자신을 둘러싼 환경에 대해서 무관심하다.
③ 시스템은 분화와 동시에 통합적인 성격을 갖고 있다.
④ 시스템은 외부환경으로부터 투입물을 받아들여 내부변환 과정을 거쳐 산출물을 만들어내는 일련의 과정을 거친다.

정답 2

시스템은 자신을 둘러싼 환경에 대해서 항상 반응하고 적응하려고 한다.

10 조직이론의 여러 분파 중에서 조직의 성과는 조직구조와 외부 환경 간의 적합성, 조직 내 하위 시스템 간의 적합성과 조화 여부 등에 따라 달라진다고 주장하는 이론은 무엇인가?

① 프로스펙트 이론
② 맥그리거의 XY 이론
③ 상황 이론
④ 버나드의 현대적 조직 이론

정답 3

상황이론은 보편적으로 적용될 수 있는 최선의 조직관리 전략은 없다고 전제한다. 즉, 조직의 성과는 조직의 상황, 즉, 조직구조와 외부 환경 간의 적합성, 조직 내 하위 시스템 간의 적합성과 조화 여부 등에 따라 달라진다고 본다.

기출 문제

11 최고경영자로부터 경영의 각 계층에 걸쳐 직접적인 명령체계를 가지며, 최고경영자에서 하위계층에 이르기까지 명령권한이 직선적으로 연결되는 조직구조는 어떤 조직인가?

① 라인조직
② 스탭조직
③ 라인-스탭조직
④ 매트릭스 조직

정답 1

라인조직은 최고경영자로부터 경영의 각 계층에 걸쳐 직접적인 명령체계를 가지며, 최고경영자에서 하위계층에 이르기까지 명령권한이 직선적으로 연결되는 조직구조이다.

---

12 라인조직의 특징을 모두 고르시오.

(A) 특정 인력에게 업무가 과도하게 집중될 수 있다.
(B) 의사 결정 속도가 느리고, 부하 직원 교육을 진행하기 어렵다.
(C) 관리 감독의 전문화에 용이하다.
(D) 소규모의 기업에 적합한 조직구조이다.

① (A),(B)
② (B),(C)
③ (C),(D)
④ (A),(D)

정답 4

라인조직은 모든 조직의 기본형태로서 소규모 기업경영형태에서 나타나며 신속한 의사결정과 하급자의 훈련에 유리하다. 하지만 라인의 소수 인력에게 과도한 업무가 집중될 수 있는 부작용이 있다.

기출 문제

13 프로젝트 조직과 라인 조직을 절충한 조직 구조로서 유연성과 효율성을 기반으로 급변하는 환경에 대해 신속한 대응이 가능한 조직 구조는 무엇인가?

① 사업부제 조직
② 네트워크 조직
③ 매트릭스 조직
④ 라인스태프 조직

정답 3

매트릭스 조직은 프로젝트 조직을 라인 조직의 구조에 공식화한 것으로서 외부 환경 변화에 기민하게 적응하면서 동시에 분업화/계층화에 따른 효율적 업무 수행도 가능하게 한다.

14 이 부서는 외래진료실, 응급실, 병동, 수술실, 분만실 기타 의사가 직접 진단시설에서의 환자진료기능을 수행한다. 이 부서는 어느 부서인가?

① 간호부서
② 진료부서
③ 진료지원부서
④ 약제부서

정답 2

진료부서는 외래진료실, 응급실, 병동, 수술실, 분만실등 의사가 직접 진단시설에서의 환자진료기능을 수행한다.

기출 문제

15 이 사람은 병원이사회에서 결정한 정책을 집행하는 일을 맡고 있다. 병원내부에서는 병원운영에 관한 의사결정 권한과 책임을 지고 국가, 지역사회 등 외부에 대해서는 병원을 대표하는 기능을 갖는다. 이 사람은 누구인가?

① 이사회
② 부문관리자
③ 병원장
④ 감독자

정답 3

병원장은 병원이사회에서 결정한 정책을 집행하는 일을 맡고 있다. 병원내부에서는 병원운영에 관한 의사결정 권한과 책임을 지고 국가, 지역사회 등 외부에 대해서는 병원을 대표하는 기능을 갖는다.

CHAPTER

리더십과 동기부여

Dental Management Officer

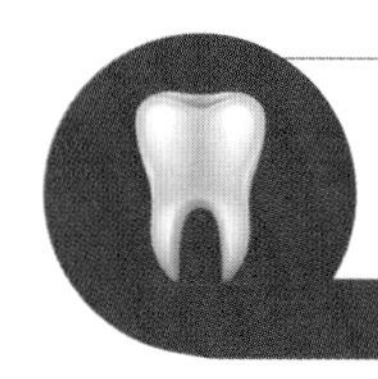

리더십과 동기부여

Dental Management Officer

05

1. 리더십의 개념과 정의

리더십이란 조직의 리더가 어떠한 상황에서 목표를 달성하기 위해 다수의 사람들에게 영향력을 미치는 것을 말한다. 리더십의 개념은 조직이 적응해야 하는 외부환경 변화에 따라 지속적으로 수정, 발전해왔다. 병원조직은 다양한 전문가 집단으로 구성되어 있으며 기술 혁신, 제도 · 규제 변화에 민감한 특성을 갖고 있다. 병원의 목표 달성을 위해서는 아래와 같은 리더십이 필수적으로 요구된다.

리더십의 방향성	세부 내용
개인의 자율성 보장과 조직 일체화 간의 균형	· 병원 인력은 높은 수준의 기술, 전문성을 가진 전문가 집단임 · 따라서 전문가로서의 자율성과 조직의 통제 정책 간 지속적인 긴장이 발생함 · 병원의 경영자는 구성원의 자율성을 존중하면서 동시에 이들이 조직의 규정을 준수할 수 있도록 영향력을 미쳐야 함
외부환경에 대한 유연한 적응력 확보	· 의료 서비스 분야는 의료기기나 의약품의 혁신, 의학과 의료기술의 발전에 끊임없이 대응·적응해야 하는 특징을 가짐 · 또한 정부의 규제가 의료 서비스의 운영에 지대한 영향을 미침 · 병원의 경영자는 이러한 외부환경 변화에 유연하게 적응할 수 있도록 내부 구성원을 이끌 수 있어야 함
개인 목표와 조직 목표의 일치	· 전문성과 자율성이 높은 병원 구성원의 개인적 목표와 병원 조직의 전체 목표 간에는 괴리가 발생할 수 있음 · 병원의 경영자는 구성원의 목표와 조직 목표 간의 일치성을 증대시키기 위한 리더십을 발휘해야 함

2. 리더십 이론

리더십 결정의 메커니즘을 과학적으로 분석하는 연구는 1940년부터 시작되었다. 초기에는 리더의 외모, 성격 등 선천적으로 타고난 개인적 특성이 리더십에 중대한 영향을 미친다는 특성이론이 발달하였다. 1950년대에 들어 미국 미시간대학교와 오하이오대학교의 리더십 연구자들은 특성이론의 한계를 지적하고 유능한 리더와 무능한 리더의 행동방식 차이가 리더십에 미치는 영향을 규명한 행동이론을 발전시켰다. 최근에는 경영 환경의 변화속도가 빨라지면서 조직이 처한 상황별로 조직 성과 향상에 적합한 리더십이 달라진다는 상황이론이 리더십 이론의 주류로 부상하였다.

1) 특성이론

특성이론은 유능한 리더의 자질을 타고난 사람이 따로 있다고 전제한다. 신체적 특성, 성격, 능력 등의 일정한 자질을 갖춘 사람은 유능한 리더가 될 수 있다는 것이다. 그러나 인간의 선천적 특성이 리더십에 미치는 영향에 대해 연구결과들은 아직까지 과학적으로 일치된 검증 결과를 보이지 않고 있다.

2) 리더십 행동이론

1950년대 들어 미국 미시간대학과 오하이오주립대의 주도로 특성이론의 한계를 비판하고 리더의 행동 양식 차이를 리더십 차이의 주요 요인으로 연구하는 행동이론이 등장하였다. 행동이론에 따르면 조직을 이끌어 나가는 리더가 일 중심의 관리를 하는지, 사람 중심의 관리를 하는지에 따라 리더십에 의한 조직 성과가 결정된다.

(1) 미시간 대학의 연구

미시간대학의 연구자들은 리더의 행동을 기준으로 리더십을 직무 중심적 리더십과 종업원 중심적 리더십으로 구분하였다. 직무중심적 리더십을 보이는 관리자는 세밀한 감독, 강제적 · 합법적인 조직 내 권력, 체계화된 업무계획표 등을 활용하여 종업원의 업무를 관리하고 업무 성과를 평가한다. 종업원 중심적 리더십을 가진 관리자는 직무중심적 리더에 비해 책임 · 권한 위임, 구성원의 복지와 만족, 개인적인 성장 등에 관심을 둔다. 즉 직무중심적 리더십에 비해 인간중심적인 리더십을 보인다. 미시간 대학의 연구결과에서는 종업원 중심적 리더가 직무 중심적 리더에 비해 구성원의 생산성과 직무만족도 향상에 효과적이라는 결론을 제시했다.

(2) 오하이오 주립대 연구

오하이오 주립대학교는 1940년대 후반부터 1950년대 초반에 걸쳐 1,800여 개의 리더십 행동 사례를 수집하여 리더십 행동의 유형과 효과성에 대한 실증연구를 수행하였다. 연구결과에 따르면 리더십 행동의 유형은 인정 · 배려 중심 리더십과 일 중심적인 구조 중심 리더십으로 나눠진다. 미시간대학교의 연구 결과가 리더가 직무 중심적 리더십과 종업원 중심적 리더십을 동시에 가질 수 없다고 전제한 것과 달리 오하이오 주립대학교의 연구자들은 한 명의 리더가 인정 · 배려 리더십과 구조 중심 리더십을 모두 가질 수 있다고 주장하였다. 따라서 리더십을 1) 일과 인정 · 배려를 모두 고려하는 리더십, 2) 일만 강조하고 인정 · 배려를 경시하는 리더십, 3) 일은 경시하고 인정 · 배려에만 관심을 갖는 리더십으로 유형화하였다. 실증분석 결과에 따르면 조직 성과 향상에 가장 도움이 되는 리더십은 첫 번째 유형인 것으로 나타났다.

(3) Blake와 Mouton의 관리격자 모형

블레이크와 머튼은 미시간대와 오하이오 주립대의 리더십 행동연구를 발전시켰다. 이들은 리더십 유형을 구분하는 양 축을 일 · 생산에 대한 관심, 인간에 대한 관심으로 놓고 각각의 축을 9등급으로 세분화하여 총 81개의 리더십 유형을 제시하였다. 이 중 아래의 다섯 가지 리더십 유형(무관심형, 친목형, 과업형, 타협형, 단합형)이 대표적인 리더십 유형을 꼽힌다. 블레이크와 머튼은 단합형을 가장 이상적인 리더십 유형으로 제시하였다.

리더십 유형	특징
무관심형 (방임형)	· 일·생산이나 구성원의 인간적 측면에 대해 거의 관심이 없음 · 자신의 직위 유지를 위한 최소의 노력만을 투입함
친목형 (인간 관계형)	· 일/생산에 대해서는 관심이 적고 인간 관계에 대한 관심만 높은 유형임 · 조직 구성원의 심리적 만족, 친근한 분위기 조성에 주력함
과업형 (독재형)	· 업무 능력만을 중시하고 구성원에 대한 인간적 개입은 최소화하는 유형임 · 과업을 홀로 계획·통제하고 부하를 생산도구로 대하며 절대적 복종을 강요함

타협형 (중간형)	· 생산적 측면과 인간적 측면을 절충하여 평균적 수준의 성과 달성을 추구하는 유형임 · 과업과 인간 관계에 모두 관심을 가지는 대신 일정 수준 이상의 성과를 달성하면 만족함
단합형 (이상형)	· 과업과 인간에 대한 관심이 모두 높은 유형임 · 구성원 간 상호 신뢰와 존경에 기반한 협력과 공동체 의식을 촉진하여 조직 구성원들이 목표 달성에 헌신하도록 유도함

3) 리더십 상황이론

특성이론과 행동이론이 일반적으로 우수한 리더십이 존재한다고 주장한 것과 달리 상황이론은 조직이 처한 상황에 따라 리더십의 효과성이 달라질 수 있다는 점을 제시하였다. 상황이론의 대표적 학자인 피들러는 조직의 상황 변화에 따라 인간적 측면을 강조하는 리더십이 좋을 수도 있고, 과업 중심 리더십이 더 효과적일 수도 있다고 주장하였다. 즉, 상황에 관계없이 이상적인 리더가 존재하는 것이 아니라 상황에 맞는 적절한 리더십이 있다는 것이다.

4) 현대적 리더십

최근에는 조직 성과를 향상시키기 위한 리더십 유형으로 거래적 리더십, 카리스마적 리더십, 서번트적 리더십에 대한 연구가 활발하게 진행되고 있다. 각각의 리더십 유형의 핵심적 내용을 아래의 표에 정리하였다.

표 1 현대적 리더십

	특징
거래적 리더십	· 부하에게 과업을 지시하고 복종의 대가로 보상을 지급하는 것에 집중하는 리더십을 거래적 리더십으로 정의함 · 즉, 리더의 역할은 부하에게 과업의 내용과 목표, 목표 달성 시 부하가 받게 되는 보상에 대해 명확하게 전달하는 것임 · 리더는 부하의 과업 수행 과정에 되도록 개입하지 않음
카리스마적 리더십	· 리더가 조직 구성원에게 미래의 비전, 가치체계를 제시하고 이를 기반으로 구성원 간 확고한 신뢰관계를 구축하는 것을 카리스마적 리더십으로 정의함 · 부하직원들이 리더에게 특출하고 천부적인 특징이 있다고 믿고 이를 인정·존경할 때 발휘될 수 있음

서번트적 리더십 (봉사적 리더십)	· 리더가 부하들의 욕구를 파악하고, 이를 충족시켜줄 수 있는 방법을 고안하며, 섬기는 자세로 부하에게 봉사하는 것을 봉사적 리더십으로 정의함 · 봉사적 리더십은 개인의 창조성을 자극하고 헌신과 학습을 유도하는데 효과적임. 따라서 학습조직 관리에 적합한 리더십 유형임

3. 동기부여

동기부여란 개인이 욕구충족이나 목표달성을 위해 목표지향적인 행동을 자발적으로 수행하도록 이끄는 것이다. 조직에서의 동기부여는 조직 관리자 혹은 경영자가 조직구성원의 욕구나 충동에 힘과 변화를 가하여 업무목표 달성에 필요한 직무적 노력을 자발적, 지속적으로 수행하도록 촉진하는 일련의 과정이다. 대표적인 동기부여 이론에는 매슬로우의 욕구단계이론, 알더퍼의 ERG이론, 허츠버그의 2요인이론, 아담스의 공정성이론, 브룸의 기대이론 등이 있다.

4. 동기부여 이론

1) Maslow의 욕구단계이론

매슬로우는 인간의 욕구에는 일련의 단계가 있으며 하위 단계의 욕구가 충족되어야만 상위 단계의 욕구 충족을 위한 동기부여가 가능하다고 주장하였다. 즉, 하위 단계의 욕구가 충족되지 않았을 경우에는 상위 단계의 욕구를 충족시켜주기 위한 동기부여는 인간의 행동을 변화시키는 데 전혀 효과가 없다는 이론이다.

매슬로우의 욕구단계는 아래의 표와 같이 생리적욕구, 안전욕구, 소속감 · 애정욕구, 존경욕구, 자아실현욕구 등 5개로 나눠진다. 욕구단계이론에 따르면 경영자는 조직 구성원의 욕구가 어느 단계에 있는지를 검토하여 하위 단계의 욕구를 충분히 충족시키고 상위 단계의 욕구에 대한 동기부여가 가능하도록 조직을 관리해야 한다. 하기만 욕구단계이론이 인간의 욕구를 다섯 단계로 분류한 점과 하위 단계의 욕구 충족이 전제되어야 상위 단계의 욕구에 대한 동기부여가 순차적으로 가능해진다는 주장에 대해서는 과학적, 실증적 근거가 없다는 비판도 많다.

표 2 매슬로우의 욕구단계

	특징
생리적욕구	· 인간의 가장 기본적인 욕구. 목마름, 배고픔, 수면, 성욕 등에 대한 욕구가 대표적임 · 생리적 욕구가 충족되어야 상위의 욕구가 생김
안전욕구	· 인간은 생리적 욕구가 충족되면 미래에 발생가능한 신체적 위험과 생리적 욕구의 박탈로부터 자유로워지고 싶어하는데 이를 안전욕구라고 함
소속감과 애정욕구	· 생리적, 안전욕구가 충족되면 소속감이나 애정 욕구가 생겨남 · 인간은 사회적 동물로서 다른 사람들과 사회적 관계를 맺고 교감하기를 원함. 조직구성원들이 여러 비공식조직에 참여하고자 하는 이유도 소속감과 애정욕구에서 기인함
존경욕구	· 인간은 소속감과 애정욕구가 해소되면 집단 내에서 존경과 인정을 받는 특별한 구성원이 되기를 원하게 됨
자아실현욕구	· 자기발전을 위해 자신의 잠재력을 지속적으로 향상시키고 싶은 욕구임. 생존, 사회적 관계, 명예와 관련된 욕구들이 어느 정도 만족된 이후에 생기는 욕구임

2) Alderfer의 ERG이론

알더퍼의 ERG이론은 인간 욕구를 존재욕구(E, existence needs), 관계욕구(R, relatedness needs), 성장욕구(G, growth needs)의 세 가지로 분류하고 있다. 존재욕구는 기본적인 인간의 욕구로서 음식, 공기, 물, 임금, 작업환경 같은 것에 대한 욕구를 말한다. 관계욕구는 의미있는 사회적, 개인적 인간 관계 형성에 대한 욕구이다. 성장욕구는 개인의 생산적, 창의적 공헌을 통해 충족되는 욕구이다. 알더퍼의 욕구 분류는 매슬로우의 욕구 분류를 간소화 했다고 볼 수 있다.

알더퍼는 매슬로우 욕구단계이론에 대해 기본적으로 동의하고 있으나 하위단계 욕구가 만족되어야 상위단계 욕구에 대한 동기부여가 가능하다는 순차성, 계층성 가정에 대해 이의를 제기하였다. 즉, 두 가지 유형 이상의 욕구가 인간에게 동시에 작용할 수 있다고 본 것이다. 알더퍼는 인간의 행동은 복합적 욕구를 추구한다고 보았다. 또한 매슬로우의 욕구단계이론에서 '하위단계 욕구가 반드시 충족되어야 상위단계 욕구로 진행한다'는 만족-진행 과정만을 주장한 반면 알더퍼는 만족-진행과 더불어 고차원의 욕구에서 저차원의 욕구로 내려가는 이른바 좌절-퇴행 과정도 반복된다는 점을 제시하였다. 알더퍼는 상위단계 욕구가 만족되지 못할 경우 사람들이 하위단계 욕구의 충족에 집착하게 될 수 있다는 점을 제시하였다.

3) Herzberg의 2요인 이론

1959년 허츠버그는 203여 명의 회계전문가와 엔지니어에게 직무에 대해 만족하고 즐거웠던 상황과 불만족스러웠던 상황에 대한 인터뷰와 설문조사를 12회에 걸쳐 진행했다. 조사 결과를 토대로 허츠버그는 인간에게 직무만족을 주는 요인과 직무 불만족을 주는 요인이 서로 독립적으로 존재한다는 2요인 이론을 제시하였다.

허츠버그는 직무수행 동기를 부여하는 요인을 동기요인(motivator, 만족요인)과 위생요인(hygiene factors, 불만족요인)으로 구분하였다. 동기요인은 직무만족을 통해 직무수행 동기를 유발시키는 요인으로서 성취감, 인정, 책임감, 승진 등 직무 자체나 개인의 정신적 · 심리적 요소와 관련된 것을 말한다. 위생요인은 직무불만족에 영향을 미치는 요인으로서 급여, 작업조건, 지위, 회사의 정책과 관리, 감독, 고용안정성 등 작업 환경과 관련된 것을 말한다. 즉, 동기요인은 직무 내재적 성격을, 위생요인은 직무 외재적 성격을 갖고 있다.

허츠버그에 따르면 동기요인과 위생요인은 서로 독립적으로 각각 개인의 직무만족도와 직무 불만족도에 각각 영향을 미친다. 동기요인을 개선하면 직무 만족도가 높아지고 직무 수행동기가 자극된다. 하지만 동기요인이 제거되면 동기요인에 의해 상승했던 직무에 대한 만족이 없어질 뿐 직무 불만족도가 늘어나는 것은 아니라는 것이다. 위생요인이 악화되면 직무 불만족도가 높아지지만 위생동기가 개선된다고 해서 직무 만족도가 높아지는 것은 아니다. 다만 열악한 수준의 위생요인 때문에 생겼던 직무 불만족이 사라질 뿐이다.

결론적으로 조직 성과 향상을 위해서는 위생요인과 동기요인을 상황에 맞게 적절히 개선하는 것이 중요하다. 허츠버그는 2요인 이론을 통해 개인의 직무 만족도를 높여 업무수행 동기를 고취하기 위해서는 급여나 지위의 개선과 같은 위생요인을 충족시켜주는 것보다는 책임감 고취, 자율성 부여, 인정 등 동기요인의 개선이 효과적이라고 주장하였다.

4) Adams의 공정성 이론

존 아담스가 제시한 공정성 이론은 경영자가 조직 구성원들을 동기부여시키기 위해서는 개인이 직무수행에 투입한 노력 대비 보상의 상대적 비율을 형평성 있게 유지해야 한다는 원리이다. 공정성 이론은 개인, 비교대상, 투입, 산출의 4가지의 중요한 개념에서 출발한다. 개인은 공정성이나 불공정성을 인지하는 주체이다. 비교대상은 투입과 산출의 비율에 대해 개인이 비교 대상으로 삼는 다른 개인이나 집단이다. 투입(inputs)은 개인이 직무에 투여하는 개인적인 특성(예: 기술, 지식, 경험, 성별, 인종, 나이 등)을 말한다. 산출(outcomes)은 개인이 직무수행 결과로 받게 되는 보상(예: 임금, 인정 등)을 말한다. 아담스에 따르면 종업원은 자신의 투입 대비 산출 비율을 비교대상 개인이나 그룹과 비교한다. 비교결과 자신과 다른 사람의 비율이 동등한 수준이면 공정한 대우를 받았다고 여기고 동등하지 않으면 불공정한 대우를 받았다고 느끼게 된다.

개인이 업적에 따라 주어지는 보상이 불공정하다고 여기면 불공정성을 줄이는 방향으로 동기부여된다. 만약 자신이 상대적으로 투입 대비 적은 보상을 받았다고 생각하면 직무에 대한 자신의 투입을 줄이거나, 조직에 더 많은 보상을 요구하거나, 비교대상을 바꾸게 된다. 극단적인 경우에는 불만을 이기지 못하고 조직에서 떠나거나 자신의 생각을 전환하여 불공정함을 당연한 것으로 받아들이게 되는 경우도 있다. 이와 반대로 자신이 상대적으로 투입 대비 보상을 많이 받고 있다고 생각하면 종업원은 자신의 투입을 늘리거나, 산출을 줄이거나, 비교대상을 바꾸게 된다. 혹은 자신의 투입 수준을 재평가하여 자신이 받는 보상수준이 당연하다는 식으로 생각을 바꿀 수도 있다.

공정성이론이 경영자에게 주는 주요 시사점은 구성원들의 동기부여를 위해서는 조직 전체의 절대적 보상 수준을 높이는 것 이상으로 형평성 원칙에 따라 구성원 간 공정한 배분을 하는 것이 중요하다는 점이다.

5) Vroom의 기대이론

브룸의 기대이론은 개인의 동기부여 정도는 노력을 기울여서 성과를 달성하고 이에 기반해 보상을 얻어낼 수 있는 가능성과 개인이 부여하는 보상의 가치에 의해서 결정된다는 이론이다. 기대이론에서 동기부여 정도에 영향을 미치는 변수는 세 가지이다.

① 기대(Expectancy) : 예측을 통해 어떤 행위가 특정한 성과를 가져올지에 대해 인식하는 확률 혹은 가능성.

② 도구성(수단성, Instrumentality) : 성과가 보상으로 이어질 것을 믿는 정도. 예를 들어, 특정 수준 이상의 성과를 달성하면 임금인상, 승진 등의 보상을 얻을

수 있다고 믿는 정도.

③ 유의성(유인가, valence) : 보상에 대해 가지고 있는 개인의 중요성의 정도나 가치.

즉, 기대이론에서 동기부여는 기대, 도구성, 유의성의 함수로 결정된다. 세 가지 변수가 모두 높을 때 동기부여 수준이 가장 높다. 경영자가 구성원에게 업무수행 동기를 부여하기 위해서는 구성원들이 기대, 도구성, 유의성 정도를 명확하게 인지할 수도 있도록 지원해야 한다. 즉, 일정한 노력을 기울이면 달성할 수 있는 합리적인 수준의 성과를 제시해야 하고 성과 수준에 따라 주어지는 보상 수준을 명확히 해야 한다.

기출 문제

01 리더십에 대해서 잘 설명한 것은?

① 리더가 하고자 하는 바를 리더 혼자 하는 것
② 일정한 상황 하에서 영향력을 행사하는 과정
③ 리더가 팔로워들에게 부탁하는 것
④ 영향력을 행사하는데 그 영향력이 미미한 것

정답 2

리더십은 일정한 상황하에서 영향력을 행사하는 과정이라고 할 수 있다.

02 리더십이 중요한 이유에 대해서 올바르게 설명하지 못한 것은?

① 병원에는 다양한 전문가가 고용되어 있어 전문가로서 자율성과 조직의 통제욕구 사이에 부단한 긴장이 존재하고 있다. 이와 같은 긴장으로 인해 구성원들로 하여금 조직의 규칙과 과정을 준수하게 하는 리더십이 필요하다.
② 의료 서비스 분야는 끊임없이 변화하는 외부환경에 적응하기 위한 압력이 증가하고 있어, 이와 같은 외부욕구에 적절히 대응하고 생존하기 위해서는 이에 걸맞은 리더십이 필요하다.
③ 의료 서비스 분야에 있어서 늘 같은 업무를 하기 때문에 변화가 최소화되어야 하며 내부적 변화를 최소화할 수 있는 리더십을 필요로 한다.
④ 병원에서 구성원들의 개인적 목표는 조직의 목표와 완전히 일치하지 않을 수 있다. 구성원의 목표와 조직의 목표 사이에 가능한 많은 일치를 가져올 수 있도록 노력하는데 있어 리더십이 요구된다.

정답 3

의료 서비스 분야는 늘 변화가 되기 때문에 내부에 있는 변화를 잘 관리할 수 있는 리더십이 필요하다.

기출 문제

03 리더십 행위이론에 해당하지 않는 것은?

① 미시간 대학의 연구
② 오하이오 주립대의 연구
③ 관리격자 모형
④ 특성이론

정답 4

리더십 행위이론은 미시간 대학의 연구, 오하이오 주립대의 연구, 관리격자 모형이 있다.

04 리더십 행위이론에 대한 설명으로 적절하지 않은 것은?

① 미시간 대학의 연구는 종업원 중심적 리더십을 가진 관리자가 직무중심적 리더에 비해 책임 · 권한 위임, 구성원의 복지와 만족, 개인적인 성장 등에 관심을 둔다고 본다.
② 미시간 대학의 연구결과는 종업원 중심적 리더가 직무 중심적 리더에 비해 구성원의 생산성과 직무만족도 향상에 효과적이라는 결론을 제시하였다.
③ 오하이오 주립대의 연구결과는 리더십 유형을 구분하는 양 축을 일 · 생산에 대한 관심, 인간에 대한 관심으로 놓고 각각의 축을 9등급으로 세분화하여 총 81개의 리더십 유형을 제시하였다.
④ 오하이오 주립대의 연구결과는 리더가 직무 중심적 리더십과 종업원 중심적 리더십을 동시에 가질 수 있다고 전제하였다.

정답 3

블레이크와 머튼의 관리격자 모형에서 미시간대와 오하이오 주립대의 리더십 행동연구를 발전시켰다. 이들은 리더십 유형을 구분하는 양 축을 일·생산에 대한 관심, 인간에 대한 관심으로 놓고 각각의 축을 9등급으로 세분화하여 총 81개의 리더십 유형을 제시하였다.

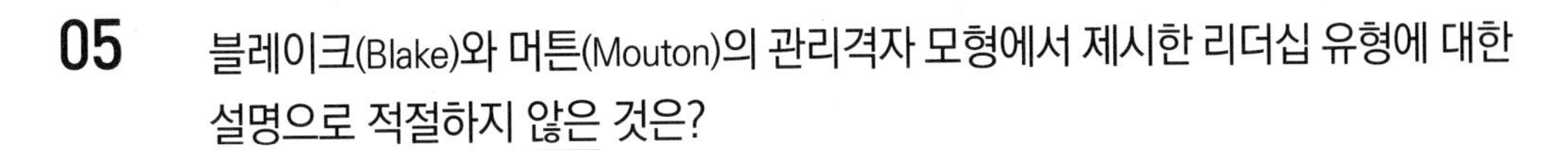

기출 문제

05 블레이크(Blake)와 머튼(Mouton)의 관리격자 모형에서 제시한 리더십 유형에 대한 설명으로 적절하지 않은 것은?

① 무관심형은 과업이나 구성원의 인간적 측면에 대해 관심이 없는 리더로서 자신의 직위 유지에만 관심이 있다.
② 친목형은 조직 구성원의 심리적 만족, 친근한 분위기 조성에 주력하는 편이다.
③ 타협형은 생산적 측면과 인간적 측면에 모두 관심을 갖고 최선의 성과를 추구한다.
④ 과업형은 과업을 홀로 계획·통제하고 부하를 생산도구로 대한다.

정답 3

과업형 리더는 생산적 측면과 인간적 측면을 절충하여 평균적 수준의 성과 달성을 추구하는 유형으로서 과업과 인간 관계에 모두 관심을 가지는 대신 일정 수준 이상의 성과를 달성하면 만족한다.

06 현대적 리더십 이론에 해당하지 않는 것은?

① 서번트 리더십
② 카리스마적 리더십
③ 거래적 리더십
④ 상황이론

정답 4

상황이론은 자질론에 대립되는 개념이다. 상황이론은 1960년대 말부터 1970년대에 이르기까지 행동이론의 한계를 인식하고 새로운 리더십연구를 진행하면서 등장한 이론이다. 행동이론은 어떤 리더십이 좋은지는 리더에 달렸다는 관점이다. 상황이론은 리더와 상황이 잘 맞아 떨어져야 성과가 높다는 관점에서 다룬다. 피들러의 상황이론에서 그는 상황에 따라 부하와의 인간 관계 행동이 좋을 때도 있고 일 중심 행동이 더 효과적일 때도 있다고 하였다. 이상적 리더의 유형이 독립적으로 존재하는 것이 아니라 상황에 알맞은 것이라면 독재적 리더십도, 방임형 리더십도 높은 성과를 올릴 수 있다는 것이다.

기출 문제

07 리더가 부하들의 욕구를 파악하고, 이를 충족시켜줄 수 있는 방법을 고안하며, 섬기는 자세로 부하에게 봉사하는 리더십으로서 개인의 창조성을 자극하고 헌신과 학습을 유도하는데 효과적인 것은?

① 변혁적 리더십
② 카리스마적 리더십
③ 슈퍼 리더십
④ 서번트적 리더십

정답 4

서번트적 리더십은 리더가 부하들의 욕구를 파악하고, 이를 충족시켜줄 수 있는 방법을 고안하며, 섬기는 자세로 부하에게 봉사하는 것으로 봉사적 리더십이라고도 한다. 서번트적 리더십은 개인의 창조성을 자극하고 헌신과 학습을 유도하는데 효과적이므로 학습조직 관리에 적합하다.

08 거래적 리더십의 특징으로 적절하지 않는 것은?

① 부하직원들이 리더의 능력을 인정 · 존경할 때에 한해 발휘될 수 있다.
② 리더는 부하에게 과업을 지시하고 복종의 대가로 보상을 지급하는 것에 집중한다.
③ 리더의 역할은 부하에게 과업의 내용과 목표, 목표 달성 시 부하가 받게 되는 보상에 대해 명확하게 전달하는 것이다.
④ 리더는 부하의 과업 수행 과정에 되도록 개입하지 않는다.

정답 1

카리스마적 리더십은 부하직원들이 리더에게 특출하고 천부적인 특징이 있다고 믿고 이를 인정。존경할 때 발휘될 수 있다고 전제한다.

기출 문제

09 사람들이 가지고 있는 욕구는 일련의 단계가 있어서 하위단계의 욕구가 충족되어야 상위단계의 욕구를 충족시키는 방향으로 동기부여가 된다고 주장한 사람은?

① 매슬로우
② 호손
③ 포터
④ 허츠버그

정답 1

1954년에 매슬로우는 욕구단계이론에 대해서 사람들이 가지고 있는 욕구는 일련의 단계가 있어서 하위단계의 욕구가 충족되어야 상위단계의 욕구를 충족시키는 방향으로 동기부여가 된다고 주장하였다. 하위단계의 욕구가 충족되지 않은 상황에서 상위단계의 욕구를 충족해주어도 동기부여가 되지 않는다는 이론이다. 욕구는 5가지단계로 구분할 수 있다.

10 ERG이론의 3가지 욕구에 대해서 잘못 나열한 것은?

① 존재욕구
② 관계욕구
③ 성장욕구
④ 안전욕구

정답 4

안전욕구는 매슬로우의 욕구 5단계 중의 하나의 욕구이다.

기출 문제

11 허츠버그의 2요인 이론에 대해서 올바르게 설명한 것은?

① 일에 대한 만족감을 느껴 동기부여정도를 높이는 요인과 일에 대한 불만족을 느껴 동기부여 정도를 낮추는 요인들이 있음을 주장하였다.
② 일과 만족감과는 상관관계가 없다고 주장하였다.
③ 인간은 5가지 욕구가 있으며 상위 욕구로 올라갈수록 만족감이 커진다.
④ 사람의 욕구는 정형화될 수 없으며, 어느 것이 더 높은 욕구라고 할 수 없다.

정답 3

매슬로우는 5단계의 욕구가 있는 욕구단계이론을 주장했다.

12 기대이론의 3가지 변수에 해당 하지 않는 것은?

① 유인가
② 기대
③ 성장
④ 도구성

정답 3

성장은 EGR이론의 하나이다.

기출 문제

13 매슬로우의 욕구 단계에 대한 설명으로 적절하지 않은 것은?

① 사회적 동물로서 인간이 다른 사람들과 사회적 관계를 맺고 교감하기를 원하는 욕구를 소속감 · 애정 욕구라고 한다.
② 생리적 욕구는 목마름, 배고픔, 수면, 성욕 등과 같은 인간의 가장 기본적인 욕구를 말한다.
③ 인간은 소속감과 애정욕구가 해소되면 집단 내에서 존경과 인정을 받는 특별한 구성원이 되기를 원하게 되는 데 이를 안정 욕구라고 한다.
④ 자기발전을 위해 자신의 잠재력을 지속적으로 향상시키고 싶은 욕구로서 생존, 사회적 관계, 명예와 관련된 욕구들이 어느 정도 만족된 이후에 생기는 욕구를 자아실현 욕구라고 한다.

정답 3

인간은 소속감과 애정욕구가 해소되면 집단 내에서 존경과 인정을 받는 특별한 구성원이 되기를 원하게 되는 데 매슬로우는 이를 존경욕구라고 명명하였다.

---

14 알더퍼의 ERG이론에 대한 설명으로 적절하지 않은 것은?

① 알더퍼는 고차원의 욕구에서 저차원의 욕구로 내려가는 이른바 좌절-퇴행 과정도 반복된다는 점을 제시하였다.
② 알더퍼는 하위단계 욕구가 만족되어야 상위단계의 욕구에 대한 동기부여가 가능하다는 순차성, 계층성 가정에 대해 이의를 제기하였다.
③ 알더퍼는 매슬로우의 욕구 분류를 세분화하여 동기부여 이론을 발전시켰다.
④ 알더퍼는 상위단계 욕구가 만족되지 못할 경우 사람들이 하위단계 욕구의 충족에 집착하게 될 수 있다는 점을 제시하였다.

정답 3

알더퍼의 욕구 분류는 매슬로우의 5단계 욕구 분류를 3단계로 간소화했다고 볼 수 있다.

CHAPTER 1 CHAPTER 2 CHAPTER 3 CHAPTER 4 CHAPTER 5 CHAPTER 6 CHAPTER 7 CHAPTER 8 CHAPTER 9 CHAPTER 10

기출 문제

15 아담스의 공정성 이론에 대한 설명으로 적절하지 않은 것은?

① 공정성 이론의 핵심 주장은 경영자가 조직 구성원들을 동기부여시키기 위해서는 개인이 직무수행에 투입한 노력 대비 산출(혹은 보상)의 상대적 비율을 형평성 있게 유지해야 한다는 것이다.
② 조직구성원은 비교 대상에 비해 자신이 조직으로부터 상대적으로 투입 대비 많은 보상을 받았다고 생각하면 불공정함을 무조건 당연한 것으로 받아들인다.
③ 조직구성원은 비교 대상에 비해 자신이 조직으로부터 상대적으로 투입 대비 적은 보상을 받았다고 생각하면 직무에 대한 자신의 투입을 줄이거나, 조직에 더 많은 보상을 요구하게 된다.
④ 투입(inputs)은 개인이 직무에 투여하는 개인적인 특성(예: 기술, 지식, 경험, 성별, 인종, 나이 등)을, 산출(outcomes)은 개인이 직무수행 결과로 받게 되는 보상(예: 임금, 인정 등)으로 정의한다.

정답 2

공정성 이론에 따르면 자신이 상대적으로 투입 대비 보상을 많이 받고 있다고 생각하면 종업원은 자신의 투입을 늘리거나, 산출을 줄이거나, 비교대상을 바꾸게 된다. 혹은 자신의 투입 수준을 재평가하여 자신이 받는 보상수준이 당연하다는 식으로 생각을 바꿀 수도 있다.

CHAPTER

서비스 품질 관리

Dental Management Officer

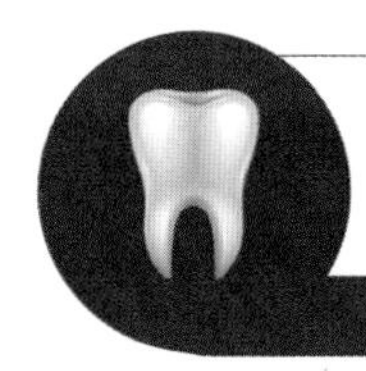

서비스 품질 관리

Dental Management Officer

06

1. 의료 서비스에 대한 이해

1) 서비스의 개념

(1) 서비스의 정의

서비스란 판매를 목적으로 제공되거나 상품판매와 연관되어 제공되는 모든 편익이나 활동을 말한다. 서비스는 넓은 의미를 내포하고 있는데 일반적인 상품과 다른 여러 가지 특징들이 있다.

- 상품은 손으로 만질 수 있으며, 재고로 저장할 수 있으나 대체로 서비스는 무형의 것으로 손으로 만질 수 없다.
- 생산과 동시에 소비되는 특징이 있다.
- 대부분의 서비스는 재고로 저장하기가 어렵다.

의료서비스도 이러한 서비스의 개념에 포함되어 있다.

(2) 의료 서비스의 중요성

요즘의 병원은 품질은 기본이고 서비스가 고객선택의 중요한 요인이기 때문에 성공적인 의료 비즈니스를 위해서는 서비스가 중요한 요소 중 하나이다. 치료뿐만 아니라 의사들이 환자들과 상호 교류하기 때문에 치료과정의 서비스도 병원의 품질을 결정한다. 경쟁력 있는 병원이 되기 위해서는 병원에서 제공하는 의료서비스에 대해서 정확히 이해하고 이를 어떻게 소비자에게 효과적으로 제공할지 고민해야 한다.

(3) 서비스의 기본적인 특성

① 무형성

서비스의 기본 특성은 형태가 없다. 즉 객관적으로 누구에게나 보이는 형태로 제시할 수 없으며 물체처럼 만지거나 볼 수 없기 때문에 그 가치를 파악하거나 질을 평가하는 것이 어렵다. 그렇기 때문에 서비스는 진열하기가 곤란하고 저장이 불가능하다. 또한 그에 대한 커뮤니케이션도 어렵다.

서비스 제공 주체는 서비스를 보다 유형적으로 보이게 하여 무형성을 극복해야 한다. 이에 해당하는 노력들은 다음과 같다.

개요	상세 설명
무형이기 때문에 발생하는 문제점을 극복하기 위하여 실제적인 유형의 단서를 제공하여야 한다.	일반적으로 병원들이 사용하는 유형화 도구로는 로고 건물, 상징물, 문자, 실내디자인, 배치, 색상 등이 있다. 추가로 병원 의료서비스는 상당히 높은 품질을 요구하고 서비스의 수준이 환자의 건강과 생명에 직결되기 때문에 의료서비스를 이용하는 환자에게 서비스 품질에 대한 신뢰를 심어주어야 한다. 무형의 서비스이며 이 서비스를 제공하는 의료진의 약력, 경험 등을 통해서 환자에게 안정감 있는 서비스를 제공한다는 생각이 들 수 있게 한다.
서비스에 대한 만족을 높이기 위해서는 무형의 서비스를 표준화할 필요가 있다.	무형의 서비스상품의 품질에 대한 확신을 심어 주기 위한 인적접촉을 강화하여야 한다. 효과적인 인적접촉을 하기 위하여 직원의 고객응대 방법, 예절과 직무지식 등을 지속적으로 향상시켜야 한다. 서비스에 대한 만족은 환자마다 매우 주관적일 수 있다. 병원직원들이 환자를 응대하는 표준 매뉴얼을 작성하고 이에 따라 교육과 실행을 할 수 있다. 진료를 하는 의사 역시 환자와의 진료 혹은 상담을 표준화된 매뉴얼에 따라 한다면 환자에게 일관된 의료서비스 품질을 제공할 수 있다.
병원은 제조기업보다 구전을 효과적으로 활용하여야 한다.	진료를 받은 사람으로 하여금 본인이 경험한 진료서비스에 대하여 주변 사람들에게 긍정적인 이야기를 하도록 유도하는 것이 중요하다. 감탄하는 고객이라면 병원의 입장에서 가장 중요하면서도 훌륭한 홍보수단이 될 것이다. 그러나 여기서 주목해야 할 것은 완전히 무형이거나 유형인 제품이나 서비스는 존재하지 않는다는 것이다. 즉 서비스와 제품을 구분하는데 있어서 유형성이 중요한 기준이 아니라는 점이다. 제품이나 서비스 모두 하나의 연속선상에 있다고 보는 것이 보다 더 타당하다. 대표적으로 병원에 대한 고마움을 표시하거나, 병원에서 완쾌된 환자의 사례를 의료잡지 혹은 환자들이 자주 볼 수 있는 매체를 통해서 홍보할 수도 있다

② 동시성

의료 서비스는 생산과 동시에 서비스가 소비된다. 의사는 환자와 상담을 하고 증상의 원인을 파악한 다음 처방을 내리며(의료 서비스 생산), 환자는 증상을 설명하고 의사의 치료를 받는다(서비스 소비). 그러므로 서비스의 경우에는 소비가 발생될 때 서비스 제공자가 그 자리에 함께 있어야 한다. 그렇기 때문에 대량생산이 불가능하고 우선 서비스제공자의 선발 및 교육 분야에 많은 노력을 쏟아야 한다. 서비스 응대 능력이 높은 사람이 고객을 대해야만 효과적이기 때문에 병원에서는 능력과 지식을 갖춘 숙련된 서비스 제공자(의료진 및 관련 직원)가 필요하다. 서비스는 이러한 동시성을 지니기 때문에 서비스의 제공양을 늘리기 위해서는 의료기관의 인적, 물적 자원을 충원을 통해서만이 가능하다. 또한 서비스의 품질을 일관되게 유지하기 위해서는 서비스의 수요를 분산시킬 필요성이 있다. 예를 들어 주중 밤이나 주말에는 상대적으로 적은 환자들이 내방을 하는 반면 주중에는 많은 환자들이 병원을 내방한다. 서비스의 수요를 분산시키기 위해 야간진료 및 주말진료를 실시하는 것도 서비스를 받는 환자의 이익과 서비스를 제공하는 병원의 이익을 높여 줄 수 있는 방법이다.

③ 이질성

서비스는 제품과 같은 표준화와 실제 성과의 표준을 개발하기 어렵다. 서비스의 생산 및 제공 과정에는 여러 가지 가변적인 요소가 많다. 고객마다 다른 서비스를 제공해야할 가능성이 크다. 표준화되어 있지 않은 경우에는 서비스 품질에 대한 위험도가 상당히 높고 이에 고객의 입장에서는 불안감을 가질 수도 있다. 예를 들어 의료 서비스 제공자가 시간, 장소, 기분에 따라 다른 서비스 품질을 제공하면 이러한 병원에 지속적으로 찾아가 진료받기를 원하지 않을 것이다. 이것이 철저한 품질관리가 필요한 이유이다. 전문 의료진에 대한 내부 교육을 강화하고 서비스절차를 체계화하며 매뉴얼에 따라 모든 서비스가 이루어지도록 표준화하여 외적인 요인에 의한 영향을 최소화할 수 있다.

④ 소멸성

서비스가 제공되는 시점에 이를 소비하지 않으면 그 서비스는 사라져 버린다. 하루 종일 병원에 환자가 한 명도 없었다면, 그 시간 동안 생산 가능한 의료서비스는 재고로 남아있지 않고 사라지는 것이다. 따라서 병원은 수요와 공급에 대하여 정확한 예측을 바탕으로 균형을 이룰 수 있도록 하여야 한다. 특히 의료서비스시장은 많은 틈새시장이 존재하기 때문에 병원들은 다양한 마케팅 전략을 개발할 수 있다. 예를 들면 병원에서는 체계화된 예약시스템을 잘 활용하여 유휴 자원 없이 손실을 최소화할 수 있다. 또한 바쁜 시간대를 피해서 오는 환자들을 대상으로 서비스를 차별화하는 것도 수요와 공급을 조절할 수 있는 하나의 방안이다. 또한 원격진료를 하는 것도 이러한 소멸성을 보완할 수 있는 좋은 대안이다.

2) 의료 서비스의 특성

특성	설명
노동집약적	병원을 유지하는데 있어서 의사, 간호사를 비롯한 의료인의 인건비 비중이 타 산업에 비해 현저하게 높다. 또한 고관여도, 짧은 반응 시간 등의 특성 때문에 진료, 경영 양쪽에 모두 도움이 되는 의료진이 있어야 병원을 잘 운영할 수 있다.
즉시 반응의 필요	치료가 즉시 이루어져야 하며, 고객의 요구에 대해 즉시 반응해야 한다. 의료서비스에서 가장 중요한 환자의 생명과 안전을 치료하기 위해서는 응급환자를 치료할 수 있는 응급실에 대한 운영이 필요하며, 환자가 가능한 한 빨리 치료가 될 수 있도록, 환자가 원하는 날에 환자에게 의료 서비스를 제공할 수 있는 시스템이 필요하다.
상대적으로 소규모	대규모 공장과 비교할 때 서비스 기관은 상대적으로 그 규모가 작다. 그리고 규모의 경제에 의한 상승효과에 한계가 있다. 환자가 병원에 올 때 접근성이 중요하다. 대형빌딩 전체를 임대해서 10배 크기로 확장하는 것 보다는 고객이 있는 곳을 겨냥해 10개의 분점을 내는 것이 효율적이다. 서비스업은 규모를 키워 성장하는 데 한계가 있다.
품질 측정의 어려움	제조업과 달리 불량률을 측정하기 어렵다. 수술 후 사망률, 생존율 등이 그 기준이 될 수도 있으나 그 해석이 쉽지 않다. 환자 개인마다 서비스 만족도가 다르기 때문에 품질에 대한 불만족은 늘 발생할 수 있다.

제한적인 시장범위	서울아산병원, 삼성서울병원 서울대병원 같은 대형병원에는 전국에서 환자가 몰리기도 하지만 서울과 수도권에서 오는 환자가 대부분을 차지한다. 대부분의 병원은 권역별 지역을 시장범위로 한다. 네트워크를 형성해 브랜드를 내세워 한계를 극복하려 시도하기도 하지만 병원 서비스의 범위를 높이기 위해서 여러 제도적인 장치와 기술적인 진보가 필요하다.
고관여도 상품	서비스 기관에서는 소비자를 직접 대면해야만 한다. 의료서비스는 그 정도가 더욱 심해, 의사가 환자에게 치료효과에 대한 설명을 하면서 시술을 받도록 유도하곤 한다. 즉 모든 의료 서비스 대부분의 과정에 있어 모두 다 의사가 관여해야 하는 고관여도 상품이다. 환자의 서비스 만족도를 높이기 위해서는 서비스 제공 과정에서 환자와 충분히 많은 대화를 하고 정보를 교류해야 한다.

2. 의료 서비스의 질 관리

1) 의료서비스에 대한 요구사항

- 의료서비스에 대한 접근성
- 의료시설의 고도화
- 의료 관련된 양질의 인력을 확보하고 육성

하지만 의료비가 증가하고 있으며, 의료비 증가에 따라 국민의 의료 서비스에 대한 기대수준도 같이 높아지고 있다. 그러므로 의료 서비스의 질을 고도화하고 국민들이 바라는 의료 서비스의 수준을 맞추는 것은 매우 중요하다.

의료의 질은 크게 기술적인 면과 의사와 환자의 관계측면, 그리고 환자의 만족도 등 세 가지 요소로 구분할 수 있다.

- 기술적인 면은 의학지식과 기술을 적용하여 위험의 증대 없이 편익을 극대화하는 것이다.
- 대인 측면은 사회적 가치관 및 규범에 따른 의사와 환자의 관계를 말한다.
- 만족도는 각종 진료환경이나 편의시설, 각종 서비스, 대기시간 등에 대한 것을 말한다. 의료가 과거의 시혜적 개념에서 권리개념으로, 그리고 공급자 중심에서 수요자시장 개념으로 전환됨에 따라 만족도는 보다 강하게 요망되고 있다.

2) 의료의 품질에 대한 최근 개념

의료서비스에 대한 품질 관리 개념이 본격적으로 도입된 것은 1980년대라고 할 수 있으며 전통적인 질 관리 개념에 대한 비판들이 대두되면서 일반 기업에서 적용되고 있는 품질 관리 방법의 영향을 받아 새로운 접근들이 시도되고 있다. 의료의 품질과 관련하여서는 다음과 같은 배경을 가지고 있다.

- 비용과 품질을 통합 관리할 때 효율적으로 목표를 달성할 수 있다.
- 과거 품질 관리는 주로 의료제공자 개인에게 초점을 맞추고 행위에 대한 비난으로 이어지는 경우가 많았다. 그러므로 의료제공자들은 행위를 은폐하는 경향이 있어 품질 관리에 효율적이지 못하였다.
- 진료에 대해서 사후 평가가 이루어지므로 사전에 낮은 품질의 서비스를 예방할 수 없다.
- 의료 서비스의 품질은 궁극적으로 과정뿐만 아니라 전체 의료조직의 업무가 서로 원활하게 지원될 때 획득할 수 있다.
- 품질 관리 활동은 의료기관 운영 성공 여부를 의미하므로 전체조직 차원에서 혁신이 동반되어야 한다.

3) 양질의 의료서비스 요건

(1) 정의

Lee& Jones(1993)의 정의에 '양질의 의료란 지역사회나 인구집단에 사회, 문화, 그리고 전문분야의 발전에 즈음하여 의료계의 지도자들에 의해서 서비스되고 가르쳐지는 것이다'라고 말하면서 다음과 같은 여덟 가지 개념을 말하였다.

① 의과학에 기초를 둔 것
② 예방을 강조
③ 의사와 환자 간에 긴밀한 협조를 요함
④ 전인적인 치료
⑤ 의사와 환자 간에 지속적이며 가까운 인간관계를 유지
⑥ 사회복지사업과 활동
⑦ 모든 종류의 의료서비스와 협동

⑧ 인간의 필요에 따라 모든 과학적인 현대의료서비스를 제공

(2) 요건

양질의 의료서비스 요건은 Myers(1978)가 정의한 4가지 요소이다. 이 4가지는 다음과 같다.

분류	설명	예시
접근용이성	접근용이성은 환자가 의료 서비스를 필요로 할 때 쉽게 그 서비스를 이용할 수 있는 것을 의미함	환자가 거주하는 동네에 환자에게 필요한 병원 혹은 의료기관이 존재. 우리나라는 이러한 문제를 해결하기 위해서 공중보건의 제도나 보건소제도를 운용
질적 적정성	의사는 지식과 기술을 충분히 지니고 있어야 하며 윤리 도덕적인 면에 입각해야 함. 뿐만 아니라 각종 연수교육, 학술잡지, 각종 학술 모임 등을 통해 의사 자신의 능력을 개발시켜 적정 의료 서비스를 제공할 수 있어야 함	건강보험심사평가원의 임무에는 제공된 의료서비스의 '적정성평가'가 포함되어 있음 의료기관별로는 다른 의료기관과 차별성을 보이기 위해 질적 적정성을 평가하고자 하고 있음
지속성	의료 이용자에게 공급되는 의료 서비스의 제공이 예방, 진단 및 치료, 재활에 이르기까지 포괄적으로 이루어지는 것을 말함	한 병원에서 진료를 받다가 다른 상급병원으로 이송될 경우 중복된 서비스를 배제하고 신속히 다음 단계의 서비스가 진행될 수 있도록 되어야 함
효율성	경제적 합리성이라고도 하며 한정된 자원을 얼마나 효율적으로 활용할 수 있는가 하는 것을 말함	외래에서 치료 가능한 것을 입원 시킨다든지 쉽게 조기진료나 예방이 가능한 것을 소홀히 한다면 비효율적이 됨

추가적으로 효율적인 관리운영이 요구된다. 효율적 관리 운영은 다음과 같다.

- 기존 자원을 최대한 효율적으로 활용하여 관리하는 일
- 진료시간 약속을 통해 의사와 환자의 시간절약
- 적정 인력활용을 통한 업무 효율
- 의료전달체계의 확립으로 국민의 의료문제를 효율적으로 해결하는 것 등

4) 의료 서비스의 질 평가

Donabedian이 제안한 의료 서비스의 질에 대한 다양한 측면을 평가하는 데 있어 3가지 구성요소를 중심으로 살펴보도록 하겠다.

(1) 구조적 접근

구조적 접근은 의료과정에 들어오는 투입물, 즉 의료인력, 시설 및 장비와 같은 자원이 표준을 만족시키는지 평가하는 것이다.

- 장점: 비교적 측정 및 계량화가 용이하고, 질 향상 사업의 목표를 구체화할 수 있다.
- 단점: 구조적 측면이 갖춰져 있다고 해서 반드시 질적으로 우수한 서비스가 제공되는 것은 아니다.

구조적 접근의 대표적인 제도를 살펴보도록 하자.

종류	설명
신임제도	· 정부기관이나 민간조직이 평가항목을 미리 제시하고 의료기관이 이를 충족하고 있는지를 평가하고 인정하는 과정 · 병원신임위원회(Joint Commission on Accreditation of Healthcare Organization, JCAHO)라는 민간 기구에서 정기적인 의료기관 평가를 수행하고 있음
면허제도	· 면허는 정부기관이나 조직이 개인에게 일정한 수준의 능력을 지녔음을 증명해 줌으로써 특정한 직업에 종사할 수 있도록 허가해 주는 과정
자격증/회원증제도	· 민간기관이나 협회가 개인에게 일정한 수준의 자격을 갖추었음을 인정해 주는 과정 · 회원증제도나 자격증제도는 의료진의 보상뿐만 아니라 면허를 취득한 이후에도 의료진이 지속적으로 최신의 의학지식을 공부하여 환자에게 최상의 서비스를 제공할 수 있음

(2) 과정적 접근

과정에 대한 평가는 일반적으로 의료서비스를 제공하는 의료인의 기술적인 측면과 환자와 의료인 간의 인간적인 관계 측면을 대상으로 평가한다.

- 장점: 의료서비스의 질과 직접적인 관련이 있으며, 평가를 통하여 나타난 결

과를 진료행위의 교정에 바로 적용할 수 있다.
- 단점: 평가의 기준을 명확하게 설정하기 어렵고, 과정과 결과가 반드시 일치하지 않을 수 있다는 제한점도 갖고 있다.

종류	설명
내부 및 외부평가	· 내부평가는 의료기관이 자발적으로 관리하는 활동 · 의료기관 스스로 적정 의료서비스 품질을 제공하기 위해서 내부적인 기준을 마련하고 정기적으로 이러한 기준에 맞는지 자체적으로 평가 및 관리를 하면서 의료서비스의 수준을 높게 유지할 수 있음 · 외부평가는 전문가협회, 교육기관, 법적기구, 연구 집단 또는 상업화된 기업과 같은 기관외부에 있는 단체들에 의해 평가를 받음 · 외부평가는 내부평가보다 객관적이라는 부분이 있고 내부평가는 보다 유연하며, 조직적 수단이나 교육적 방법으로 해결할 수 있는 문제를 밝혀내는 데 효과적임
의료이용도 조사	· 의료이용도 조사는 보험자에게 제출하는 진료비청구명세서나 의무기록 등을 통해 제공된 의료서비스가 진료에 필수적인지, 적정한 수준과 강도, 비용으로 서비스가 제공되었는지를 조사하는 방법으로 의료서비스가 제공되기 전, 제공 중, 제공 후 서비스로 나누어 조사 실시
임상진료지침	· 질병 별 또는 의료 서비스 별로 시행기준과 과정에 대한 원칙을 표준화하여 지침을 개발하고 진료 행위가 설정된 지침에 따라 수행되었는지를 검토하는 과정 · 일단 개발된 지침을 적용하여 의료의 질을 평가하는 과정은 비교적 용이하기 때문에 외국에서는 다양한 임상진료지침이 개발되어 활용됨
보수교육	· 보수교육은 의료전문인들이 신의료기술이나 신지식 등 시대에 뒤떨어지지 않게 하기 위해서 필요함

(3) 결과 측면의 접근

의료의 결과는 현재 및 과거에 의료서비스를 제공받는 개인, 집단 및 지역사회의 실제 또는 잠재적 건강상태에서 바람직하거나 그렇지 못한 상태로의 변화를 말한다.

- 장점: 의료행위의 궁극적인 목적과 직접 관련을 가지고 있다는 장점을 가지고 있다.
- 단점: 의료행위 외에도 다른 요소들이 결과에 영향을 미칠 수 있기 때문에 의료 서비스 이용으로 인한 효과를 판단하기 어렵다.

일반적으로 결과 측면을 측정하기 위하여 사용되는 주요 변수들로는 사망률, 이

환율, 퇴원시의 상태 등이 있다.

종류	설명
고객만족도 조사, 의료서비스 평가	· 각 의료기관이 제공한 의료서비스의 질적 수준 평가 자료나 환자만족도 조사 등을 공개 배포함으로써 의료기관이 자체적으로 서비스 질을 높이도록 유도하는 방법
진료결과 평가	· 이환율, 사망률, 합병증 등의 지표를 활용 · 진료평가 결과의 활용도를 높이기 위해서는 진료평가를 세밀하게 작성하고, 환자 스스로 자신의 질환의 중증도에 대해서 판단할 수 있도록 주치의를 통해서 상담하고 정보를 제공받는 것도 중요함

3. 우리나라의 의료 서비스 질 관리

국내에서 의료의 품질에 대한 체계적이 논의가 시작된 것은 1981년 대한병원협회에 의해 병원표준화심사가 시작될 때이다. 이후 병원계에서 품질 관리라는 개념이 본격적으로 논의되기 시작하였고 이는 한국의료 QA학회가 설립되면서 부터이다. 1999년부터는 표준화심사 내용에 적정진료관리와 의료이용 평가(utilization review) 부분이 강화되었다. 특히, 1990년대 중반 이후 의료 환경이 급격히 변하면서 환자들에게 보다 양질의 의료서비스를 제공함으로써 경쟁력을 갖추기 위해 노력하기 시작하였고 병원 차원에서 품질 향상을 추구하기 시작했다. 또한 정부차원에서 여러 지원이 이뤄지기 시작해서 제도적 마련과 의료기관평가 및 의료기관인증 등을 실시하고 있다.

1) 병원신임평가

(1) 정의

일정한 기준(병원의 진료윤리, 건물 및 기능의 안전도, 의사업무의 조직화, 진료수준, 시설장비 및 경영관리)을 설정하여 모든 병원이 여기에 도달할 수 있도록 동기를 부여하고 병원의 수준을 향상 및 발전시켜 환자에게 최선의 진료를 제공하는 자율적인 품질 관리활동이다.

(2) 도입 과정

① 국내의 병원신임제도의 효시는 1963년에 도입된 수련병원 인정제도
② 1967년 대학의학협회가 담당하다가 1967년에 대한병원협회로 이관
③ 병원표준화추진위원회를 발족시켜 1981년에 118개 병원을 대상으로 1차 병원표준화심사를 실시하여 병원계에서 병원의 윤리성을 제고하고 환자에 대한 적정진료를 보장하기 위한 대책방안으로 삼음
④ 병원표준화사업의 교육과 홍보, 문제점 검토 및 개정 등을 거쳐 1991년부터는 심사결과 일정수준에 도달하는 병원에 대해서는 신임기간을 2~3년 인정. 이 기간 중에는 현지 심사를 생략하고 서류 심사로 대체토록 하였으며 국민들의 의료서비스에 대한 욕구에 부응하기 위하여 1995년도에는 서비스평가 부문을 실시
⑤ 1996년도에는 응급의학과, 핵의학과, 산업의학과가 신설됨에 따라 표준화심사대상과목에 포함
⑥ 수련병원실태조사는 병원표준화사업이 도입된 후 표준화심사와 함께 실시되며 2003년도부터 '병원신임평가'사업으로 그 명칭을 변경하여 실시

(3) 병원신임평가의 문제점

- 목적 달성 정도의 불명확성
- 심사요강의 불완전성
- 사업대상 기관의 제한
- 사업의 폐쇄성
- 사업결과의 활용 및 유인의 미약 등

(4) 개선책

- 사업에 대한 사회적 공신력의 확보
- 사업의 내실화와 사업대상의 확대
- 관련 사업과의 연계강화가 필요

CHAPTER 1 CHAPTER 2 CHAPTER 3 CHAPTER 4 CHAPTER 5 CHAPTER 6 CHAPTER 7 CHAPTER 8 CHAPTER 9 CHAPTER 10

2) 의료기관 인증제도

(1) 추진 배경

- 국내 의료기관평가제도는 우리나라 보건의료 전반의 문제점을 검토하고 개혁과제를 도출하기 위해 운영된 의료보장개혁위원회의 제안으로 2004년부터 본격 도입
- 주로 종합병원 이상을 대상으로 강제평가방식으로 운영된 의료기관평가제도는 의료서비스에 대한 의료기관의 관심 제고, 서비스 수준 향상, 임상 질 지표 도입 등 일부 긍정적인 성과를 달성
- 언론, 소비자단체, 의료기관 등을 통해 평가서열화에 따른 병원 간 과잉경쟁 유발, 전담조직이나 전담 전문 인력 부재에 따른 평가의 전문성 및 객관성 미흡, 구조적 측면 평가로 이한 불필요한 비용 부담 발생, 강제평가로 인한 의료기관의 자발적 질 향상 동기 부재 등 문제점이 지속적으로 제기
- 정부는 의료기관평가의 문제점을 개선하고 의료기관의 자발적이고 지속적인 질 향상을 유도하기 위해 2008년 '의료기관인증제'를 국정과제로 선정하였으며, 운영 실패 점검, 정부업무평가위원회의 심의를 거쳐 개선방안을 마련하고 다양한 이해관계자가 참여하는 '의료기관평가 인증추진위원회'를 운영하여 의료기관 인증제로 전환을 추진
- 2010년 7월, 의료법 개정을 통하여 의료기관 인증제 시행의 법적 근거를 마련하고, 2010년 10월에 인증전담기관인 의료기관평가인증원을 설립하였고 2011년 1월 24일부터 의료기관의 자율신청에 의한 의료기관 인증 제도를 시행

(2) 주요내용

- 의료법 제58조(의료기관 인증)에 의하면 보건복지부장관은 의료의 질과 환자 안전의 수준을 높이기 위하여 병원급 의료기관에 대한 인증을 할 수 있도록 정한다.
- 병원 급 의료기관의 자율신청을 원칙으로 하고 있으나, 요양병원과 정신병원은 보건복지부령으로 정하는 바는 바에 따라 보건복지부장관에게 의무적으로 인증을 신청한다.
- 인증 받은 의료기관에 인증서를 교부하고 인증마크를 사용할 수 있도록 하고 있으며, 의료기관의 인증등급, 인증 유효기간 및 평가결과 등은 인터넷

홈페이지를 통해 공표하여 국민들이 의료기관 질 관련 정보를 쉽게 열람 가능하다.

3) 의료기관 인증제도의 시행

(1) 주관 부서

의료기관 인증제는 보건복지부가 주관한다. 보건복지부 장관은 의료기관 인증에 관한 주요 정책을 심의하기 위하여 보건복지부 장관 소속으로 의료기관인증위원회를 두어 의료기관단체, 노동계 · 시민단체 · 소비자단체, 보건의료 전문가, 정부 등이 참여하여 의료기관인증에 관한 주요 정책을 결정하고 있다. 또한, 의료기관 인증을 목적으로 보건복지부 장관의 허가를 받아 설립된 비영리법인 인증전담기관에 인증제 개발 및 시행, 조사위원 교육, 결과 분석 · 종합 및 평가결과 공표 등의 업무를 위탁함으로써 의료기관 인증제의 전문성과 공정성을 기하고 있다.

(2) 인증 과정

- 의료기관 인증제는 의료기관의 자율신청에 의해 조사일정을 수립
- 서면 및 현지 조사를 실시
- 조사결과 및 인증등급에 관한 이의신청 절차
- 최종적으로 인증등급을 공표하고 인증서를 교부

현지조사는 개별 환자 추적조사와 시스템 추적 조사를 통해 환자의 진료과정 중심으로 조사하게 되며, 조사위원은 의료기관이 자율적으로 제정한 규정에 따른 수행정도를 조사함으로써 의료기관이 업무의 표준화를 통해 환자안전을 강화할 수 있도록 지원한다.

(3) 의료기관인증 조사기준

- 국제 수준에 부합하는 의려의 질 향상 및 환자안전의 수준 제고를 목표로 개발
- 전체 4개 영역(기본가치, 환자진료, 지원, 성과관리체계), 13개 장(환자안전 및 의료 질 향상, 환자권리 및 진료체계, 조직운영 및 감염관리, 임상질지표 등), 48개 범주, 94개 기준, 549개 조사항목으로 구성
- 의료기관 인증기준은

① 환자의 권리와 안전
② 의료기관의 의료서비스 질 향상활동
③ 의료서비스의 제공과정 및 성과
④ 의료기관의 조직, 인력관리 및 운영
⑤ 환자 만족도 등의 사항을 포함

(4) 의료기관의 인증등급

- 인증
- 조건부인증
- 불인증

의 3개 등급으로 구분되며, 정부는 인증을 받은 의료기관의 인증등급과 평가결과 등을 인터넷 홈페이지를 통해 항상 제공한다.

또한, 인증결과를 상급종합병원 지정, 전문병원 지정 요건으로 활용함으로써 우수한 의료기관이 진입할 수 있도록 정책적 연계를 강화하고 있다.

4) 의료기관 인증제도의 기대효과

- 의료기관 인증제를 통해 의료기관의 자발적 질 향상 노력을 유도하여 환자 안전 수준제고와 의료의 질 향상을 도모할 수 있다.
- 인터넷을 통해 인증결과를 공표함으로써 소비자의 알권리가 강화된다.
- 국민들(소비자)은 의료기관 이용 시 인증 받은 의료기관을 선택할 수 있게 되며 환자안전이 보장되는 양질의 의료 서비스를 제공받을 수 있게 되어 의료기관 이용에 따른 만족도가 향상될 것으로 기대된다.
- 인증을 받은 의료기관은 매년 자체적인 질 관리를 수행하여 보고하게 함으로써 전반적인 의료 질 향상을 도모할 수 있다.
- 인증마크를 활용한 홍보 등을 통해 경쟁력을 확보할 수 있다.

5) 건강보험심사평가원의 심사평가제도

(1) 개요

의료기관에서 진료를 받았을 때 의료기관은 총 진료비 중 일부를 환자에게 받고,

나머지는 건강보험심사평가원에 청구를 하게 되는데, 건강보험심사평가원은 청구된 진료비에 대한 심사를 통하여 진료가 적정하게 이루어졌는지에 대한 평가를 실시한다.

(2) 효과

- 진료비를 건강보험법에 인정하는 기준으로 올바르게 청구하였는지를 확인(심사)하여 의료 보장 취지에 합당한 적정진료 보장과 부적절한 진료비용의 발생 방지를 도모한다.
- 의 · 약학적면과 비용효과적인 면에서 진료가 적정하게 이루어 졌는지를 평가하여 의료기관에 그 결과를 알려줌으로써 의료 서비스의 질을 향상 시킨다.

(3) 평가대상

의료 서비스를 제공하는 모든 의료기관을 대상으로 수행된다. 평가항목의 특성에 따라 기관별, 지역별, 수술별 또는 상병별 등의 단위로 수행될 수 있으며, 많은 평가가 의료기관(의원, 병원)을 단위로 수행되고 있다.

(4) 목적

- 의료기관으로 하여금 의료서비스의 수준을 향상시키도록 유도하는 데 있다.
- 적정성평가는 평가로 그치지 않고 건강보험심사평가원 홈페이지를 통하여 일반국민에게 평가결과의 일부를 제공한다.

6) 병원자체의 품질 관리 사업

현재 종합병원급 규모에서는 대부분 품질 관리 전담부서를 설치하여 서비스 개선 및 의료의 질 향상을 위한 노력이 이루어지고 있다.

(1) 성공요소

- 병원경영자의 적극적 의지와 지원
- 의사들의 적극적 참여
- 경영활동과 질 관리 활동의 긴밀한 연계
- 효과적인 질 관리 팀 단위의 활동 등

향후 의료시장의 경쟁 심화, 의료소비자의 높은 서비스 요구, 의료기관 평가 등 외부환경에 의해 의료의 질 관리 사업은 의료기관의 가장 중요한 사업 중의 하나로 이루어 질 것이다.

표 3 의료의 품질 관리 정책을 수립함에 있어 고려되어야 할 과제

과제	설명
의료 품질 개선을 위한 노력	의료의 질에 대해서는 의료전문가나 의료소비자, 그리고 정책담당자들이 국내실정에 맞는 의료의 질 개선 목표와 접근방안을 모색하고 합의해 나가는 노력이 선행되어야 한다.
기존 사업과 정책 개선	질 관리와 관련된 기존의 사업과 정책들을 질 향상 목표에 부응할 수 있도록 개선하는 노력이 뒤따라야 한다.
다양한 유인책	의료의 질에 있어 의료전문가의 인식과 관심이 중요한 만큼 각 전문 학회 단위에서 질 관리에 대한 보수교육을 활성화시키는 것이 필요하며, 참여를 유도하기 위한 다양한 유인들이 모색되어야 한다.
진료 지침의 개발	질 관리 사업은 실제로 많은 비용과 시간이 소요되기 때문에 병원단위의 다양한 시범사업이 시도될 필요가 있으며, 전문가 단체가 중심이 되어 실제로 적용할 수 있는 진료지침의 개발이 필요하다.
법적 제도적 지원	질 관리 활동은 의료인의 자발적인 참여가 필수적이므로 의료제공자가 질을 향상시킬 수 있도록 긍정적 유인을 제도적으로 지원할 필요가 있으며 각종 법적, 제도적 지원방안이 함께 모색되어야 한다.

기출 문제

01 서비스의 특징에 대한 것으로 옳지 않은 것은?

① 무형성
② 이실성
③ 동시성
④ 유형성

정답 4

서비스의 기본적인 특성은 무형성, 동시성, 이질성, 소멸성이다.

---

02 의료 서비스의 특징에 대한 것으로 옳지 않은 것은?

① 서비스의 전문성
② 제한된 시장범위
③ 품질 측정의 쉬움
④ 상대적 소규모 사업장

정답 3

서비스의 속성상 품질 측정이 어렵다.

---

03 의료 서비스의 품질이 대두하게 된 배경으로 잘못 설명한 것은?

① 비용과 질은 통합할 때 효율적으로 목표를 달성할 수 있다.
② 진료가 이루어진 이후에 평가가 이루어지므로 잘못된 진료행위를 예방할 수 없다.
③ 의료 서비스의 질은 과정뿐만 아니라 전체 의료조직의 업무가 서로 원활하게 지원될 때 획득되기 때문에 진료행위자에게만 초점을 맞추는 것은 효과적이다.
④ 서비스에 대한 품질 측정이 용이하기 때문이다.

정답 3

서비스의 속성상 품질 측정이 어렵다.

기출 문제

04 양질의 의료 서비스의 요건에 해당하지 않는 것은?

① 원거리 서비스
② 질적 적정성
③ 효율성
④ 지속성

정답 1

양질의 의료서비스 요건은 Myers(1978)가 정의한 4가지 요소, 즉 접근성의 용이성, 질적 적정성, 지속성, 효율성이다.

---

05 의료 서비스의 구조적 평가에서 정부기관이나 조직이 개인에게 일정한 수준의 능력을 지녔음을 증명해 줌으로써 특정한 직업에 종사할 수 있도록 허가해 주는 제도를 무엇이라고 하는가?

① 신임제도
② 면허제도
③ 특허제도
④ 신고제도

정답 2

면허는 정부기관이나 조직이 개인에게 일정한 수준의 능력을 지녔음을 증명해 줌으로써 특정한 직업에 종사할 수 있도록 허가해 주는 과정이다.

기출 문제

06 병원의 진료윤리, 건물 및 기능의 안전도, 의사업무의 조직화, 진료수준, 시설장비 및 경영관리 면에서 일정한 기준을 설정하여 모든 병원이 여기에 도달할 수 있도록 동기를 부여함으로써 병원의 수준을 향상 발전시켜 환자에게 최선의 진료를 제공하는 것을 무엇이라고 하는가?

① 의료기관인증제도
② 병원신임평가
③ 심사평가제도
④ 병원장신고제도

정답 2

병원신임평가사업은 '병원의 진료윤리, 건물 및 기능의 안전도, 의사업무의 조직화, 진료수준, 시설장비 및 경영관리 면에서 일정한 기준을 설정하여 모든 병원이 여기에 도달할 수 있도록 동기를 부여함으로써 병원의 수준을 향상 및 발전시켜 환자에게 최선의 진료를 제공하는 것으로써 국민의 신뢰와 존경을 받는 병원상을 정립 하고자 하는 병원계의 자율적인 질 관리활동'이라고 할 수 있다.

07 우리나라에서 의료의 질 관리 정책을 수립함에 있어 고려되어야 할 과제들에 해당하지 않는 것은?

① 의료의 질에 대해서는 의료전문가나 의료소비자, 그리고 정책담당자들이 국내실정에 맞는 의료의 질 개선 목표와 접근방안을 모색하고 합의해 나가는 노력이 선행되어야 한다.
② 질 관리와 관련된 기존의 사업과 정책들을 질 향상 목표에 부응할 수 있도록 개선하는 노력이 뒤따라야 한다.
③ 병원 단위의 다양한 시범사업이 시도될 필요가 있다.
④ 규제를 더 강화해서 의료인이 의료윤리에 강제적으로 철저히 따르게 해야 한다.

정답 4

규제 강화보다는 의료인의 자발적인 참여가 필수적이므로 의료제공자가 질을 향상시킬 수 있도록 긍정적 유인을 제도적으로 지원할 필요가 있으며 각종 법적, 제도적 지원방안이 함께 모색되어야 한다.

CHAPTER

마케팅 관리

Dental Management Officer

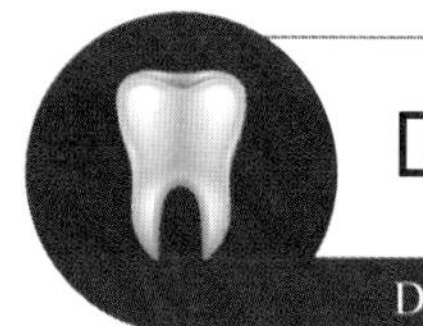

마케팅 관리

Dental Management Officer

07

1. 의료 서비스 마케팅

1) 마케팅이란?

(1) 정의

마케팅(marketing) 활동이란 기업이 소비자들의 욕구나 필요에 대한 이해를 토대로 자신들이 만든 제품을 소비자에게 좋은 이미지로 인식시켜 제품 판매를 늘리기 위한 노력을 말한다. 마케팅은 원래 소비자의 욕구나 필요를 파악하고 이를 충족시킬 수 있는 제품을 판매하여 기업의 이익을 극대화하는 활동으로 인식되었으나 최근에는 소비자의 욕구나 필요를 불러일으키는 적극적인 활동까지 그 영역이 확장되고 있다. 구체적인 마케팅 활동은 표적시장의 고객과 제품이나 서비스를 교환하면서 고객의 욕구와 기업의 이익 창출을 위해 상품, 가격, 유통, 촉진 전략을 계획, 실행하는 과정들을 포함한다. 마케팅 활동은 영리를 추구하는 기업 외에도 병원, 학교, 정부, 지방자치단체 등 비영리적 성격을 가진 조직에서도 중요성이 더욱 부각되고 있는 추세이다.

(2) 핵심개념

마케팅의 개념을 이해하기 위해서는 우선 소비자의 필요(needs), 욕구(wants), 만족, 가치(value), 교환(exchange), 시장(market) 등의 개념을 이해할 필요가 있다.

① 소비자의 필요와 욕구, 수요

인간이 정상적으로 생존하기 위해서는 의식주, 안전, 소속감, 존경 등이 반드시 필요하다. 마케팅에서 정의하는 필요(needs)의 개념은 인간이 생존에 필수적인 것들의 결핍을 느끼고 있는 상태를 말한다. 필요의 예로서 갈증이 날 때 물을 마시고 싶은 상태, 허기가 졌을 때 무엇인가를 먹고 싶은 상태, 외로움을 느낄 때 친구들과 어울리고 싶어하는 상태 등이 있다.

욕구(wants)는 인간의 필요를 만족시킬 수 있는 구체적인 제품이나 서비스를 원하는 상태를 의미한다. 예를 들면 심장병이 있을 때 병원의 진료를 받고 싶어하는 것, 눈이 아플 때 안과병원의 진료를 받고 싶어하는 것 등이 있다. 수요(demands)는 구매력이 수반되는 욕구를 말한다. 즉, 심장병 치료를 위해 병원을 가고자 하여도 비용이 없어 갈 수 없는 상태라면 수요로 연결될 수 없다. 마케팅 전략을 세울 때는 필요, 욕구에 기반한 소비자의 수요를 이해, 파악하고 이를 공략하기 위한 실질적인 방안을 마련하는 것이 중요하다.

② 소비자의 만족과 가치

소비자들은 필요와 욕구 충족을 위해 여러 가지 제품과 서비스 중에서 가장 만족스러운 가치(value)를 제공하는 대안을 선택한다. 이 과정에서 소비자들은 필요나 욕구의 충족과 함께 제품, 서비스 이용에 지불해야 하는 대가를 고려한다. 즉, 각각의 선택 대안이 소비자에게 제공할 수 있는 가치는 가격을 고려한 대안의 필요, 욕구 충족 수준(value for money)을 의미한다. 예를 들어 어떤 소비자는 대체로 탄산음료보다 과일주스를 더 선호하지만 과일주스의 가격이 탄산음료보다 더 높을 경우 탄산음료를 선택할 수도 있는 것이다.

③ 교환

교환(exchange)은 소비자가 대가를 지불하고 실제로 가치 있는 제품이나 서비스를 획득하는 행위이다. 교환이 일어나기 위해서는 소비자가 제품이나 서비스 획득을 통해 필요나 욕구를 충족할 수 있으면서 동시에 그 제품이나 서비스를 제공하는 기업도 이득을 얻을 수 있어야 한다. 즉, 교환이 일어나기 위해서는 교환의 당사자들이 교환의 조건에 동의하고 교환을 통해 교환 이전보다 더 나은 상태가 될 수 있어야 한다.

④ 시장

시장(market)이란 본래 구매자(buyer)와 판매자(seller)가 제품이나 서비스를 교환하기 위해 모이는 온 · 오프라인의 장소를 의미하나 경우에 따라서 어떤 제품이나 서비스의 실제 또는 잠재적 구매자들의 집합(예: 의료시장)을 의미하기도 한다. 정보통신 기술과 물류 · 교통이 발달한 현대 사회에서는 판매자와 구매자가 물리적으로 만나거나 상호작용하지 않아도 교환이 일어날 수 있다. 기업은 TV, 인터넷, 모바일 광고를 통해 소비자들에게 제품, 서비스 관련 정보를 전달할 수 있고, 스마트폰이나 인터넷을 통해 소비자들로부터 주문을 받을 수도 있으며, 택배나 우편을 통해 소비자에게 제품이나 서비스를 전달할 수도 있다.

2) 의료 서비스 마케팅의 필요성

의료 서비스 마케팅은 1980년대 초에 우리나라 의료계에 개념이 도입되어 1990년대에 양질의 진료 및 병원 서비스에 대한 국민들의 욕구 증대와 이에 따른 대기업의 의료산업 진출 및 대형 병원 건립에 의해 활성화되었다. 의료기관 간의 경쟁 심화와 대기업의 병원 경영은 한편으로는 우리나라 의료 서비스 질의 전반적 향상을 가져왔으나 다른 한편으로는 경쟁 격화에 따른 병원들의 수익성 악화를 초래하였다. 따라서 병원들은 경쟁적으로 진료서비스의 질과 고객 만족도를 향상시키기 위한 마케팅 활동을 하게 된 것이다.

공공적 성격을 갖는 의료 서비스와 상업적 성격의 마케팅은 서로 양립하기 어려운 것처럼 보인다. 하지만 의료기관들이 놓인 다음과 같은 경영환경의 변화로 인해 의료기관에서도 기업과 같은 마케팅 활동의 도입 필요성이 높아지고 있다.

(1) 의료 이용자의 수준 향상

의료 이용자의 의료에 대한 높은 기대와 고급 서비스 추구 경향, 의학 지식의 대중적 보급과 권리 의식의 향상에 따라 의료기관들은 고객의 욕구를 파악하고 고객이 원하는 의료 서비스를 제공하기 시작했다.

(2) 의료기관의 공급확대

의료기관의 수적 증가와 대규모 종합 병원의 설립에 의한 의료 공급 과잉 현상이 환자에게 보다 질 높은 의료 서비스를 제공하는 의료기관을 찾아 다니게 하고 있다. 의료기관의 경쟁력은 고객 만족을 통해 형성되기 때문에 고객이 원하는 의료 서비스를 제공해야 고객 만족과 경쟁 우위를 획득할 수 있게 된다. 따라서 고객 만족과 경쟁력 확보를 위해 고객 중심의 사고의 도입이 필연적으로 요구되고 있다.

(3) 의료기관의 경영수지 악화

의료기관의 경쟁 심화로 수익성이 악화되는 것도 요인이다. 지금까지 의료기관

관리자들은 품질보다는 수량을 중시하는 경영 시스템에 의존해 수익 중심 경영을 소홀히 해왔다. 그러나 현대는 고객의 니즈를 만족시킬 수 있는 가치 중심의 품질 경영 시스템이 필요한 시기이며 이를 위해서는 철저한 고객 분석을 바탕으로 고객이 원하는 의료 서비스를 효율적으로 제공해야 한다.

(4) 의료시장의 글로벌화

마지막으로 점점 더 글로벌화되는 의료 시장에서 의료기관의 수익성과 생존에 대해 생각하지 않을 수 없다. 해외 환자 유치, 해외 시장 진출 등을 통해 글로벌 의료기관이 되기 위해서는 국내 의료 기관의 마케팅 활동 수준이 단순한 고객만족활동 이상의 수준으로 향상되어야 한다.

3) 마케팅의 적용 범위

전통적으로 마케팅은 영리를 추구하는 기업에서만 관심을 갖는 활동으로 인식되어 왔으나 최근에는 점차로 그 적용범위가 넓어져 비영리기관을 포함한 거의 모든 조직의 관심 대상이 되고 있다.

전통적으로 마케팅은 영리를 추구하는 기업들만 관심을 가지는 것으로 인식되어 왔지만 최근에는 그 적용 범위가 점차 확대되어 비영리 단체를 포함한 거의 모든 조직이 마케팅 활동에 관심을 갖게 되었다.

(1) 영리기관

국내 기업에서 광고, 개인적 판매 등의 활동을 넘어서는 통합적이고 체계적인 마케팅 활동이 추진되기 시작한 시점은 1980년대부터이다. 마케팅 개념은 식음료 및 제약 산업과 같이 포장된 비내구재를 생산하는 회사에서 비교적 빠른 속도로 수용되기 시작했다. 최근 내구재 및 산업재 제조업체, 서비스 업체, 정보 업체 등도 마케팅 개념을 적극적으로 도입하고 있다.

(2) 비영리기관

전통적으로 마케팅에 관심이 없었던 대학이나 병원과 같은 비영리 단체들도 최근 마케팅에 많은 관심을 보이고 있다. 한국 병원의 경우 많은 병원들이 IMF 위기에 따른 경영상의 어려움을 해결하기 위한 방안으로 고객 만족과 비용 절감에 관심을 갖게 되었다. 그러나 국내 대학, 병원 등 비영리 기관의 마케팅은 아직 초기 단계이며 앞으로도 많이 발전할 것으로 예상되는 분야라고 할 수 있다. 또한 노동 조합, 교회, 정부 기관 등이 환경 변화에 적응하기 위한 노력의 일환으로 마케팅 개념을 적극 도입할 것으로 기대된다.

의료 서비스는 고유의 특성상 마케팅에 대한 상당한 제한이 불가피하다. 의료법, 사회적, 윤리적 기대나 요청 등 관련 규정에 따라 활동에 많은 제한이 적용되기 때문이다. 따라서 영리 단체의 마케팅과는 달리 비영리 단체의 특성을 고려하여 고객의 욕구를 만족시키고 의료인의 품격을 떨어뜨리지 않는 동시에 의료인의 윤리 또는 규칙을 위반하지 않는 마케팅 활동을 해야 한다.

4) 마케팅 관리의 과정

조직에서 수행하는 마케팅 관리 활동은 일반적으로 마케팅 목표 설정, 시장 기회 분석, STP 전략 수립, 마케팅 믹스 개발, 마케팅 활동 개발, 조정 및 통제로 구성된다. 마케팅 활동을 추진하려면 먼저 마케팅 목표를 설정한 다음 현재 시장 상황을 분석하여 시장에 어떤 기회가 있는지 이해해야 한다.

다음으로 STP 전략을 수립한다. STP 전략은 시장을 다양한 기준에 따라 세분화하고 특정 대상 시장을 선정한 후 투입할 제품이나 서비스를 포지셔닝하는 것이다. 마케팅 관리자는 이를 기반으로 제품 전략, 가격 전략, 유통 채널 전략 및 프로모션 전략 등으로 구성된 마케팅 믹스를 설정하여 실행에 옮긴다. 마지막 단계로 마케팅 관리 활동의 결과를 계획과 비교, 조정 및 관리하고 그 결과를 향후 마케팅 관리 활동에 반영한다.

2. 병원에서의 STP 전략

아무리 많은 자금과 인력이 있는 병원이라 하더라도 의료 시장의 모든 고객을 만족시키기는 어렵다. 이는 병원 자원이 제한되어 있고 의료 시장에서 고객의 필요, 욕구 및 수요가 매우 다양하기 때문이다. 즉, 하나의 병원이 모든 잠재 고객의 욕구를 충족시키는 것은 실현하기 매우 어려운 일이다.

마케팅 전략에 대해 이야기 할 때 STP 전략, 즉 시장 세분화 - 표적 · 목표 시장 선택 - 포지셔닝(경쟁적 위치 설정)이 가장 자주 언급된다. 병원은 유사한 필요, 욕구, 수요를 가진 고객들을 그룹화하여 의료 시장을 세부적으로 분할하고, 제한된 자원을 사용하여 가장 효과적으로 공략할 수 있는 타깃 시장을 선택한 뒤, 병원의 유리한 이미지를 타깃 시장에서 포지셔닝한다. 이와 같은 STP 전략은 병원 규모에 관계없이 소규모부터 대규모까지 모든 병원에서 고려해야 할 가장 기본적인 마케팅 전략이다.

1) 시장 세분화 전략

(1) 시장 세분화의 정의와 목적

마케팅은 고객에 대한 철저한 이해에서 시작된다. 일반적으로 고객의 요구는 점점 더 다양해지고 있다. 따라서 단일 제품으로 모든 고객을 동시에 만족시키는 것은 불가능하거나 비효율적일 수 있다. 즉, 어떠한 고객에 대해서도 충분한 만족을 주지 못하는 것보다는 특정 고객 집단의 욕구를 우선적으로 만족시키는 것이 더 효율적이다. 이러한 의미에서 유사한 요구를 가진 고객으로 구성된 그룹을 세분시장이라고 하고 세분시장을 발견하는 작업을 시장세분화라고 한다.

시장 세분화의 목적은 시장 상황을 정확하게 파악하고 조직(병원)의 경쟁 좌표를 확인하고 표적 시장을 명확하게 설정하여 조직의 제한된 마케팅 리소스를 효과적으로 할당하는 것에 있다. 고객의 욕구를 보다 정확하게 식별하기 위해서는 상당한 비용과 노력을 투입해 시장을 정밀하게 세분화해야 한다. 그러나 시장이 지나치게 세분화되면 시장의 규모가 점차 줄어들기 때문에 세분화 된 시장의 규모와 그에 따른 경제성도 고려해야 한다. 즉, 세분화의 목적은 소비자의 욕구, 편익 및 인구 통계학적 요인을 분석하여 변화하는 시장 수요에 적극적으로 대응하고, 조직의 강점과 약점을 고려했을 때 성공 가능성이 높은 유리한 시장을 정확하게 선택한 뒤 제한된 자원을 집중하는 것이다.

(2) 시장 세분화의 기준

시장 세분화는 공통된 성격, 욕구, 구매 행동 또는 소비 패턴을 공유하는 구매자 그룹으로 구성된다. 효과적인 시장 세분화는 많은 수의 구매자를 비슷한 성격을 가진 그룹으로 나누는 것이다. 시장 세분화를 위한 변수는 다음과 같다. ① 연령, 성별, 가족 수, 소득수준, 직업, 교육, 종교, 인종, 가족, 생애주기, 국적 및 인구와 같은 인구 통계학적 변수, ② 지역, 인구 밀도, 도시 면적 등의 지리적 변수, ③ 특정 개인 또는 그룹의 활동, 라이프 스타일, 관심사와 같은 생활방식 변수, ④ 사용 시간, 사용 수준, 브랜드 충성도와 같은 소비자 행동 변수가 있다.

2) 표적시장의 선정

(1) 정의

표적시장 선정은 다양한 변수를 기준으로 세분화된 시장 중에서 집중적으로 공략할 특정 세분시장을 선택하는 것을 의미한다. 즉, 시장 세분화로 나눠진 각각의 세분시장을 평가하여 어느 시장에 진입할지, 얼마나 많은 시장에 진입할지에 대해 결정하는 것이다.

표적 시장을 선택할 때는 4가지 문제를 고려해야 한다. 첫째, 병원이 특정 세그먼트 시장을 선택하고 집중할 경우 얼마나 많은 수익을 창출할 수 있는지 고려해야 한다. 둘째, 미래 수요를 고려하여 경쟁 수준을 예측하고 대응 전략을 수립하는 것이 중요하다. 셋째, 병원이 추구하는 목표와 표적 시장 선택이 상충되지 않아야 한다. 병원이 표적 시장에서 얼마나 효과적으로 비전, 사명 및 목표를 달성 할 수 있는지를 고려하여 표적 시장을 신중하게 선택하는 것이 중요하다.

마지막으로 병원은 보유한 능력과 자원의 수준을 고려해야 한다. 세분화된 시장이 아무리 좋더라도 병원의 인력, 진료 기술, 규모가 해당 시장을 공략하는 데 적합하지 않다면 표적 시장으로 선정하고 역량을 집중하는 것은 적절하지 않다. 병원이 특정 세분 시장을 목표 시장으로 선택한다고 해서 다른 세분 시장을 완전히 버리거나 무시할 수 있다는 의미는 아니다. 병원의 이미지와 서비스가 선택된 세분 시장에서 더 두드러지게 나타날 수 있으므로 해당 시장에 병원의 역량과 마케팅 활동을 집중하는 것이 필요하다는 의미이다.

(2) 표적시장 선정 시 고려사항

다음으로 각 세분 시장의 평가 결과를 토대로 어떤 세분 시장에 진입할지, 몇 개의 세분 시장에 진입할지에 대해 결정해야 한다. 표적시장 선정 방법에는 단일 세그먼트 시장 진입, 제품 전문화, 시장 전문화, 선택적 전문화, 완전 도달 등 다섯 가지 전략이 있다. 병원은 이중에서 병원의 역량, 경쟁 정도 및 병원의 장기 목표에 가장 잘 부합하는 방법을 선택해야 한다.

표 4 표적시장 선정전략

	내용	의료시장 사례
단일 세분시장	· 의료기관이 하나의 의료 서비스로 하나의 세분 시장에만 집중하는 전략	· 어린이전문치과 · 어린이한의원
제품 전문화	· 모든 연령대를 대상으로 특정 의료 서비스 제공	· 척추 전문병원 · 백내장 전문병원
시장 전문화	· 의료기관이 단일 시장에 집중하여 다양한 유형의 서비스를 제공	· 노인전문병원
선택적 전문화	· 위험 분산을 위해 매력적이면서 서로 관련성 없는 여러 개의 세분시장들을 동시에 공략하는 전략	· 외래 환자 대상 소아 클리닉 · 노인 케어 · 성인 검진 서비스 병행
완전 도달	· 모든 시장에 대해 모든 서비스를 제공하는 전략	· 대학병원 · 종합병원

3) 포지셔닝 전략

(1) 정의

마케팅은 궁극적으로 상품 혹은 서비스 경쟁이 아니라 소비자의 인식 경쟁이다. 포지셔닝(positioning)은 제품, 서비스, 회사 및 사람 등 특정 대상의 이미지를 사람의 마음에 인식시키는 것이다. 마케팅 측면에서 포지셔닝은 병원이 진료서비스나 특정 병원 활동을 통해 고객의 마음에 차별화된 이미지를 각인하는 것이다. 판매가 일어나기 위해서는 시장에 먼저 진입하는 것보다 고객의 마음에 먼저 들어가는 것이 중요하다.

의료기관의 경우 경희대병원은 양 · 한방 협진, 한양대병원은 류마티스 질환, 삼성서울병원은 진료서비스의 품질과 서비스, 심장질환은 세종병원 등과 같은 고객의 인식을 획득하였다. 이러한 고객의 인식은 자연스럽게 형성되는 것이 아니라 의료 기관이 자사의 진료서비스와 경쟁력의 핵심 속성을 파악하고 경쟁사와 차별화하기 위해 고객에게 포지셔닝하는 마케팅 믹스를 개발하고 실행 한 결과이다.

(2) 포지셔닝 전략

포지셔닝은 경쟁사와 비교해 자사의 제품이나 서비스가 고유한 특징을 가지고 있을 뿐만 아니라 더 가치있다는 인식을 고객의 마음에 자리잡게 하는 활동이다. 기업은 상품(제품 혹은 서비스), 부가적 서비스, 직원, 이미지 등을 활용하여 포지셔닝 전략을 수립 · 실행한다.

① 상품 차별화

병원은 진료서비스 상품을 내용적, 물리적으로 차별화하여 고객의 마음 속에 포지셔닝 할 수 있다. 의료시장에는 사실상 거의 차이가 없는 표준화된 서비스를 제공하는 병원이 있는 반면 독특하고 차별화된 서비스를 제공하는 병원도 있다. 예를 들어 한강 성심 병원은 화상치료, 세종 병원은 심장질환에 대해 다른 병원과는 확실히 차별화된 전문적 진료 서비스를 제공한다. 어린이 전문 병원들은 차별화된 어린이 얼굴 상처 · 흉터 클리닉을 운영하기도 한다.

② 서비스 차별화

병원은 진료서비스 차별화 외에 부가적인 서비스를 제공하여 포지셔닝할 수도 있다. 헤어디자이너가 진료가 끝난 환자의 머리 손질을 해주는 치과, 환자에게 피부 마사지를 제공하는 피부과 등이 이러한 사례가 된다. 이러한 차별화 전략은 새로운 개념의 서비스를 환자에게 제공함으로써 고객에게 색다른 병원으로 각인되는 데 적합하다.

③ 직원 차별화

병원은 경쟁 병원보다 더 우수한 인재를 모집, 교육함으로써 강력한 경쟁 우위를 확보 할 수 있다. 청주의 한 병원은 직원 교육과 역량 개발에 투자를 아끼지 않음으로써 직원들이 병원에 자부심을 갖게 한다. 이러한 인재개발 전략은 직원들의 애사심을 높이고 직원들이 진심으로 고객에게 친절하고 활기찬 서비스를 제공할 수 있도록 한다.

④ 이미지 차별화

고객들이 인식하는 병원 혹은 병원의 브랜드 이미지를 차별화함으로써 유사하거나 동일한 제품이나 서비스를 제공하는 병원 간에도 차별적 포지셔닝이 가능하다. 이미지 차별화 전략을 추구하는 병원은 고객에게 병원 제품이나 서비스의 장점, 특징을 알릴 수 있는 이미지를 구상하여 이를 고객에게 광고나 홍보를 통해 적극적으로 알려야 한다.

3. 마케팅믹스 전략

병원은 표적시장에서 자신의 제품이 경쟁 제품에 대해 고객에 대한 경쟁 우위를 가질 수 있도록 여러 가지 마케팅 관리 활동을 해야 한다. 마케팅 관리 활동이란 상품, 가격, 유통, 판촉의 4가지 활동을 전략적으로 관리하는 것으로서 소비자 만족도 극대화를 통한 병원의 경쟁우위 확보를 목표로 한다. 마케팅 관리는 상품, 가격, 유통 및 프로모션의 마케팅 믹스 전략에 달려 있다. 마케팅 믹스 전략은 4P 전략(Product, Price, Place, Promotion)이라고도 한다. 최근에는 서비스 프로세스(process), 서비스 시설의 물리적 환경(physical environment), 인력(people)을 추가한 7P 전략도 등장하였다.

1) 상품전략

(1) 의의

서비스 상품은 병원 마케팅 전략의 핵심이다. 병원의 서비스 상품이 부실하면 다른 요소를 아무리 잘 갖추고 있어도 고객에게 충분한 가치를 제공할 수 없게 된다. 병원의 마케팅 믹스 계획은 대상 환자에게 가치를 제공하고 경쟁 병원보다 환자 고객의 욕구를 더 만족시키는 의료 서비스 상품의 개념을 도출하는 것에서 시작된다.

(2) 의료 서비스 상품의 구성

의료기관의 최종 상품인 의료 서비스는 전문자격과 기술력을 갖춘 의료진의 판단력, 지식, 노하우에 고객이 전적으로 의존해야 하는 전문 서비스이다. 다양한 의료 분야의 전문가들이 협력하는 복잡한 업무 프로세스를 거쳐 고객에게 가치 있는 의료 서비스가 생산, 제공된다. 의료기관이 고객에게 의료 서비스 상품 제공이라는 핵심 가치를 제공하기 위해서는 이를 지원하는 활동들이 수반된다. 즉, 의료 서비스는 고객에게 제공되는 핵심 솔루션인 진단, 치료, 수술 등의 핵심 서비스 상품과 이를 보완하는 다양한 보조 서비스들로 구성된다.

① 핵심상품(서비스)

핵심 서비스는 치과에서 충치를 제거하는 것과 같이 환자 고객의 본질적인 요구를 충족시키기 위한 수단이다. 환자 고객의 본질적 욕구가 통증을 줄이는 것이라면 의료기관이 환자 고객에게 제공하는 핵심 서비스는 통증을 줄여주는 수술이 될 수도 있고 다른 형태의 치료 방식이 될 수도 있다. 그러나 많은 의료기관들이 환자의 욕구 충족을 우선하기보다는 자사가 제공하는 핵심 서비스를 정해 환자 고객이 이를 선택하도록 권유하거나 강요한다. 의료기관은 서비스 상품을 기획할 때 항상 고객이 원하는 핵심 혜택이나 욕구가 무엇인지 파악하고 이를 만족시키기 위해 노력해야 한다.

② 보조서비스

보조서비스는 의료 서비스 상품의 이용 가치와 욕구를 높여 환자 고객의 전반적 경험에 차별화를 제공함으로써 고객의 의료 서비스 이용을 촉진하는 역할을 한다. 예를 들어 진료 예약 편의성 증대, 진료 절차 간소화, 의료비 납부 절차 간소화, 진료 후 전화 상담 서비스 제공, 필요시 가정 방문 서비스 제공 등이 대표적인 보조 서비스들이다.

의료업계에서 대부분의 의료 서비스 상품은 핵심 상품과 보조서비스가 결합된 서비스 패키지로 구성되는 추세이다. 따라서 급격한 의료 환경 변화와 의료기관 간의 경쟁 격화에 효과적으로 대응하기 위해서는 핵심 서비스뿐만 아니라 보조 서비스까지 포함하는 전체 서비스 패키지 상품을 개발하는 전략이 필요하다.

(3) 의료 서비스 상품의 수명주기에 따른 마케팅전략

의료 서비스에도 도입기, 성장기, 성숙기 및 쇠퇴기의 제품수명주기가 존재한다. 따라서 의료 서비스 상품이 제품수명주기 상의 어느 단계에 있는지 파악하고 적절한 마케팅 관리 활동을 수행하는 것이 필요하다.

① 도입기

신상품의 도입기에는 업계에 경쟁자들이 거의 없고 소비자들은 상품의 존재와 가치에 대해 전혀 모르거나 잘 이해하지 못한다. 도입기에 있는 서비스는 적은 투자로 사업을 시작할 수 있으며, 소비자에게 상품의 존재와 특성을 알리기 위한 광고와 홍보 투자를 통해 소비자의 인식이 높아지면 사업을 빠르게 확장할 수 있다.

② 성장기

도입기를 성공적으로 넘긴 상품이 성장기에 들어서면 소비자의 상품에 대한 인식이 높아지면서 시장이 확대되고 기업의 매출과 수익이 빠르게 증가할 수 있다. 하지만 동시에 새로운 경쟁자의 진입으로 인해 경쟁환경은 악화되고 차별화된 상품이 대거 등장하면서 새로운 세분시장이 출현한다. 상품의 수명주기가 성장기에 들어선 기업은 자사 제품의 쇠퇴기 진입을 대비하고 장기적인 경쟁 우위 유지를 위해 또 다른 신제품을 개발할 준비가 되어 있어야 한다.

③ 성숙기

상품이 성숙기에 들어서면 상품의 판매는 더 이상 증가하기 어렵다. 그럼에도 불구하고 병원이 시장 점유율을 높이거나 매출을 높일 수 있는 유일한 방법은 경쟁 병원과의 차별화이기 때문에 기존 세분시장에서의 경쟁은 심화되고 새로운 세분시장은 지속적으로 생겨난다. 치열한 경쟁이 지속되면 산업의 전반적인 이익이 감소하고 관리 구조가 취약한 병원은 시장에서 퇴출된다. 환자 고객들은 점점 더 병원 간 의료 서비스의 차별화 요소를 찾기 어렵게 된다.

④ 쇠퇴기

성장기를 넘어 상품이 쇠퇴기에 들어서면 상품의 판매량은 감소하게 된다. 이미 신기술 혹은 신제품이 시장에 출시된 상태이기 때문이다. 많은 병원들은 수요 감소 추세에 맞춰 해당 서비스를 서비스 구성에서 제외하고 새로운 서비스로 대체하기 시작한다. 따라서 경쟁강도는 다소 둔화되고 병원의 이익이 일시적으로 감소하게 된다.

2) 가격 전략

가격은 소비자가 상품을 구매하려고 할 때 구매자가 지불해야 하는 금전적 대가이다. 원래 가격은 마케팅 4P 믹스 전략에서 가장 중요한 영역으로 여겨졌다. 하지만 정보 통신 기술과 인터넷 비즈니스의 발달에 따라 최근에는 가격 전략이 촉진 영역의 한 요소로 축소되는 추세에 있다.

그러나 의료 서비스의 가격은 의료기관이 임의로 정할 수 있는 것이 아니다. 의료 서비스는 예외적인 경우를 제외하고 정부의 정책, 특히 건강 보험에 의해 결정되는 의료수가에 의해 결정된다. 따라서 의료 기관의 가격을 전략적 마케팅 수단으로 사용하는 것은 매우 제한적일 수밖에 없다. 의료기관의 가격 결정은 병원 수익 창출에 결정적인 영향을 미친다. 병원은 공공적 성격을 갖는 비영리 조직이지만 조직과 사업의 유지, 성장을 위해 일정 수준 이상의 수익을 지속적으로 창출하는 것도 매우 중요하다. 따라서 병원 또한 의료 서비스의 품질 향상과 의료비 개선을 통해 매출과 이익을 늘리기 위해 노력할 필요가 있으나 일부 의료기관이 공익보다는 이익 창출에 과도하게 집중함에 따라 사회적으로 비판을 받고 있기도 하다.

가격이 소비자의 구매 결정에 결정적 영향을 미치는 일반적인 상품의 경우 마케팅 믹스 전략 수립 과정에서 가격이 중요한 역할을 한다. 정부 혹은 건강보험공단이 진료수가를 결정하고 통제하는 국내 의료업계에서는 의료기관이 보험진료수가를 마케팅 도구로 활용하기 어렵다고 볼 수 있다. 그러나 평균적으로 병원 총수입의 30%가 병원에서 가격을 책정할 수 있는 일반 진료수가에서 창출된다는 점을 고려하면 의료기관 또한 일반 진료수가의 가격결정을 마케팅의 중요한 요소로 인식하고, 이를 전략적으로 관리할 필요가 있다.

3) 유통전략

(1) 의의

유통은 제품 생산업체나 서비스 제공업체로부터 최종 사용자에 이르는 다양한 조직 간의 관계를 연결하는 활동으로서 주문, 거래, 보관, 물류, 하역 등의 판매 관련 기능들의 흐름을 촉진시키는 활동이다. 유통 전략은 제품, 서비스 공급업체와 소비자 간의 양방향 커뮤니케이션을 촉진하여 상호 효용을 극대화하는 것을 목표로 한다. 유통은 유통 경로, 유통 채널, 판매 채널, 유통 시스템 및 유통 기구 등으로 표현되기도 한다.

의료 서비스에서 유통 경로는 의료기관이 환자 고객에게 의료 서비스를 효과적으로 제공할 수 있도록 서비스 전달 과정의 흐름을 원활하게 관리하는 활동을 말한다. 소비자 측면에서 보면 소비자의 선호도나 구매 패턴에 따라 이용하는 의료 서비스 유통 경로가 달라진다. 환자는 몸이 아플 경우 의료 서비스를 받기 위해 시내의 종합 병원, 인근의 클리닉, 근처의 보건소, 약국이나 한방 의원 등 여러 서비스 유통 경로 중 가장 효과적, 효율적 서비스를 받을 수 있는 경로를 선택할 것이다. 의료 서비스 공급자, 즉 병원 측면에서 유통 채널의 유형은 1차 의료기관, 2차 의료기관, 3차 의료기관, 프랜차이즈, 집단 개원 등으로 나눠진다. 최근에는 인터넷과 정보 통신 기술의 발달로 생산자와 소비자 간의 상품 및 정보 전달이 가속화되고 유통경로는 다변화되고 있는 추세이다.

(2) 의료 서비스 접근 경로의 특성

의료 서비스 접근 경로의 특징은 다섯 가지로 요약된다. 첫째, 의료 서비스는 생산과 배송이 동시에 이루어진다. 따라서 접근 경로가 짧고 재고가 발생하지 않는다. 둘째, 의료 서비스 소비자인 환자가 서비스 전달 과정의 처음부터 끝까지 참여하며 중요한 의사 결정을 내리기도 한다. 셋째, 의료 서비스의 공공적 특성과 의료 정보 보호 등의 이슈로 인해 의료 서비스 전달 과정이 정부 규제의 통제를 받게 된다. 넷째, 동시에 여러 채널을 통한 서비스이 불가능하다. 다섯째, 1차, 2차 의료기관이 3차 의료기관과 환자 고객의 서비스 거래를 중개하는 역할을 한다.

(3) 의료 서비스의 접근 전략

고객이 편리하게 의료기관에 접근, 방문할 수 있도록 하는 것 또한 의료기관 유통 전략에서 중요한 부분을 차지한다. 환자 고객이 의료기관에 접근, 방문하는 방식에는 물리적 접근, 시간적 접근, 정보 접근의 세 가지가 경로가 있다.

① 물리적 접근

의료 서비스에 대한 물리적 접근은 서비스 제공 위치로서의 이용 경로, 의료기관의 위치 및 물리적 시설에 대한 접근을 의미한다. 전통적인 이용 경로에는 외래 치료와 입원 치료가 포함됩니다. 최근에는 컴퓨터 통신이나 인터넷을 통한 상담 및 진료, 원격 진료 시스템 등 기존의 공간적 제약을 뛰어넘는 새로운 사용 경로가 많이 등장하고 있다.

의료기관의 입지는 의료 고객이 의료기관을 선택할 때 매우 중요한 요건이며, 의료기관의 입지 조건 분석은 마케팅 전략의 핵심 주제로 떠오르고 있다. 과거와 달리 지역 의료기관의 증가로 경쟁이 치열해지면서 개원을 준비하는 의사와 의료기관 관리자들은 의료기관의 입지와 주변 여건에 대한 높은 관심을 보이고 있다.

편리하고 매력적인 의료 시설은 무형이 특징인 의료 서비스 산업의 가치를 유형화시키는 역할을 할 수 있다. 시설의 이미지와 운영에서 상대적으로 보수적이던 의료계에서는 전통적인 병원 이미지에서 탈피하려는 다양한 시도가 생겨나고 있다. 환자뿐만 아니라 일반인도 병원에 쉽게 접근할 수 있도록 병원을 생활 공간 또는 문화 공간으로 만드는 추세이다. 예를 들어 병원에 카페, 식당, 오락실, 잡화점 등을 입점 시켜 환자뿐만 아니라 보통의 사람들이 병원을 생활공간으로 인식할 수 있도록 하고 있다.

② 시간적 접근

의료 서비스의 시간적 접근성을 높이는 전략의 필요성도 높아지는 추세이다. 일반적으로 의료기관은 중형 병원의 응급실 외에는 일요일 또는 토요일 오후에는 문을 닫고 평일에도 야간 진료는 잘 하지 않았다. 출퇴근 시간의 제약을 받는 대다수의 직장인들은 병원 진료를 받기 위해 연차를 사용해야만 했다. 환자의 대기 시간 또한 길었다. 하지만 최근에는 의료기관의 경쟁 심화에 따라 평일 야간 진료나 주말 진료를 하는 병원이 증가하고 있으며 전화나 인터넷으로 진료 시간 약속을 받거나 사전에 진료 시간을 알려줌으로써 환자 고객이 내원 시 지루함 없이 편안한 상태를 유지할 수 있도록 하는 추세이다.

③ 정보적 접근

정보 접근의 측면에서 정보 기술의 발달로 다양한 정보 전달 채널을 활용하여 소비자에게 쉽게 의료 서비스 정보를 제공하는 마케팅 전략이 활발히 활용되고 있다. 미국의 병원들은 환자 고객 정보를 기반으로 적시에 고객이 필요로 하는 의료 정보를 알려주는 서비스를 제공하고 있다. 미국 병원들은 정보 제공 마케팅을 통해 환자의 정보적 접근성을 증대 시켜 병원의 친밀도와 신뢰도를 높이고 있다. 그러나 이러한 전화 마케팅 방식이 고객의 개인정보와 프라이버시를 침해한다는 이슈가 제기되면서 병원들은 고객이 의료기관에 직접 전화를 걸도록 유도하는 추세에 있다.

4) 촉진 전략

촉진(promotion)은 잠재적 고객을 설득하기 위한 광고, 판촉, 개인 판매 및 홍보 등의 활동을 말한다.

(1) 광고

광고는 잠재적 소비자에게 제품, 서비스를 인식시키기 위해 TV, 인터넷, 신문, 잡지, 옥외 광고판, 라디오 등의 매체를 통해 제품, 서비스를 노출시키는 활동이다. 그러나 광고가 실제로 판매 성과를 촉진할 수 있는지에 대해서는 논란의 여지가 있다. 소비자들의 관심을 끌지 못하는 광고도 많은 것이 현실이며 광고 효과는 장기적으로 나타나므로 명확한 판매 성과 증대 효과를 측정하기 어렵기 때문이다.

의료 서비스 광고는 의료법 56조 및 57조의 규제를 받는 독특한 특징을 갖는다. 의료 서비스는 인간의 생명을 다룬다는 점을 고려하여 해당 법률에서는 금지되는 의료 광고 유형과 의료법인, 의료기관, 의료인이 의료광고(정기간행물, 옥외광고물 중 현수막, 신문, 인터넷신문, 교통시설, 교통수단에 표시되는 광고, 전광판, 벽보, 전단, 대통령령으로 정하는 인터넷 매체 등)를 하려면 미리 광고의 내용과 방법 등에 관하여 보건복지부장관의 심의를 받아야 함을 명시하고 있다.

(2) 판매촉진

판매촉진(판촉)은 제품 샘플이나 판촉물 제공, 이벤트(무료체험, 경품 추첨), 회원카드나 쿠폰 제공 등을 이용하여 상품의 매출을 높이는 마케팅 방법이다. 광고가 제품, 서비스에 대한 소비자의 인식도를 제고하여 장기적 매출 증대를 목표로 하는 반면 판촉은 시장에 대한 즉각적인 자극을 통해 제품, 서비스의 주목도를 높여 단기 매출을 향상시키는 마케팅 전략이다. 판촉을 통해 기업은 신규 고객의 방문 및 재방문 유도, 기존 고객의 경쟁병원으로의 이탈 방지, 특정 고객에 대한 집중적 판매 촉진 등의 효과를 기대할 수 있으나 그 효과가 오래가지 않는다는 점은 감수해야 한다.

(3) 인적판매

인적 판매는 영업 직원이 잠재 고객과의 직접적인 접촉, 소통을 통해 고객의 구매 욕구와 필요를 상기시킴으로써 구매를 촉진하는 커뮤니케이션 활동이다. 인적 판매 방법은 가장 효과적인 커뮤니케이션 활동이나 홍보 속도 측면에서는 취약하다. 따라서 대중을 대상으로 하는 촉진 방식으로는 적합하지 않다.

인적 판매의 첫번째 장점은 영업 직원이 고객의 욕구, 표현, 행동 등에 신속하고 유연하게 대응할 수 있다는 것이다. 두번째 장점은 광고가 불특정 다수의 잠재적 고객을 대상으로 메시지를 전달하는 방식인 반면 인적 판매는 구매 가능성이 높은 고객에 대한 마케팅 자원의 집중이 가능한 방식이라는 점이다. 셋째, 즉석에서 고객의 구매 관련 의사결정을 유도할 수 있다는 것이다. 인적 판매 방식은 잠재적 고객의 요청에 대해 영업 직원이 즉각적으로 피드백을 할 수 있으므로 고객이 보다 쉽게 구매 관련 선택을 할 수 있도록 촉진한다. 그러나 이러한 인적 판매는 한 번에 대응할 수 있는 고객의 수가 매우 제한되어 있고 고객 당 마케팅 비용이 높기 때문에, 경우에 따라서는 그 자체만으로 부정적인 이미지를 줄 수도 있다.

(4) 홍보

홍보는 객관적인 관점에서 사람, 제품 또는 서비스에 대한 기사를 작성하여 방송이나 인쇄 매체를 통해 대중에게 알리는 방법이다. 대중관계(public relation, PR)은 홍보보다 더 큰 의미에서 병원의 외부 이해관계자들과의 사회적 관계를 맺는 것을 말한다.

홍보는 광고나 판촉활동과는 다른 성격을 갖는다. 홍보는 객관적인 관점에 기반한 데이터 수집과 평가를 통해 작성한 병원 관련 기사 콘텐츠를 사내 신문, 출판물, 강의, 사진, 전시회, 이벤트(콘서트 등), 자원 봉사 활동, 언론 보도, 기자 회견, 신문 리뷰, TV 인터뷰 등의 매체를 통해 대중에게 제공하는 것이다. 따라서 광고에 비해 홍보 기사에 대한 고객의 신뢰도가 더 높은 편이다. 또한 광고보다 고객의 기억에 오래 남는다. 홍보는 병원의 사회적 이미지에 큰 영향을 미치는 촉진 수단이다.

4. 의료 서비스 마케팅의 확장

1) 브랜드경영

(1) 브랜드의 정의와 구성요소

브랜드는 라틴어의 '각인시키다'라는 어원에서 출발하였다. 미국마케팅협회(American Marketing Association, AMA)는 브랜드를 판매자가 자신의 제품이나 서비스를 다른 제품과 구별하기 위해 사용하는 이름, 용어, 상징, 디자인 또는 조합으로 정의한다. 즉, 브랜드는 상품의 이름을 넘어 다른 상품들과 차별될 수 있는 상품과 관련된 모든 것을 포괄하는 용어이다.

전 세계 기업들은 전략적 자산인 브랜드 파워를 구축하기 위해 치열한 마케팅 전쟁을 벌이고 있다. 고객은 브랜드를 통해 기업과 상품을 인식한다. 기업의 궁극적인 마케팅목표는 소비자의 마음속에 경쟁기업과 명확하게 구분되는 브랜드이미지를 각인시킴으로써 브랜드 아이덴티티(brand identity)를 구축하는 것이다. 이를 위해 브랜드 명, 슬로건, 캐릭터, 심볼, 포장 등의 브랜드 구성 요소를 전략적으로 선택하고 이를 소비자의 뇌에 각인시켜야 한다.

(2) 브랜드 자산의 중요성

최근 브랜드 자산에 대한 중요성에 대한 인식이 확산되면서 기업들은 브랜드 확장에 많은 관심을 보이고 있다. 고객의 마음에 브랜드 아이덴티티가 인식, 확립된 브랜드는 기업의 중요한 전략적 자산이 될 수 있다. 브랜드 창출, 확장, 경영까지 기업이 브랜드 자산을 효과적으로 관리하여 브랜드 자산 가치를 높이는 활동을 브랜드 마케팅 혹은 브랜딩(branding)이라고 한다. 즉, 브랜딩은 브랜드 아이덴티티보다 더 포괄적인 의미를 갖는다.

빠른 생산 기술 발전으로 대부분의 소비재 시장은 제품수명주기 상 성숙기에 접어 들고 경쟁 제품 간의 품질 격차는 점차 사라지고 있다. 이런 상황에서 많은 기업들은 브랜드 이미지의 강화, 차별화를 통해 브랜드 파워 혹은 브랜드 자산을 구축함으로써 가격 경쟁을 줄이고 시장 점유율을 높이며 안정적인 수익성을 유지할 수 있다. 특히, 경쟁기업 제품 간 품질 차이가 적거나 무형의 서비스 상품이 거래되는 시장에서는 브랜드 이미지가 소비자의 제품, 서비스 선택에 결정적인 역할을 한다.

(3) 브랜드 자산의 관리

브랜드 자산의 경쟁력은 고객의 브랜드 인지도와 브랜드 이미지에 기반한 연상에 의해 결정된다. 즉, 브랜딩의 핵심 활동은 브랜드 인지도와 브랜드 이미지를 전략적으로 관리하는 것이다.

① 브랜드 인지도 관리

소비자는 잘 모르는 혹은 어디서도 들어본 적 없는 브랜드의 상품을 잘 구매하지 않는다. 즉, 고객에게 브랜드를 알리는 것이 브랜드 자산 구축의 최우선 과제이다. 브랜드 인지도(brand awareness)는 소비자가 제품 카테고리에서 특정 브랜드를 인식하거나 회상하는 능력을 의미한다. 브랜드 인식은 제품 카테고리 내의 여러 브랜드 중에서 해당 브랜드를 소비자가 보거나 들은 적이 있는지에 대해 조사하여 측정한다.

브랜드 회상은 브랜드 인식에 비해 더 강력한 형태의 인지 방식으로서 고객의 기억에 저장된 특정 브랜드 정보를 꺼낼 수 있는 능력을 의미한다. 소비자가 제품 카테고리 내에서 생각하는 브랜드를 열거하는 과정을 통해 브랜드 회상 여부, 정도를 확인할 수 있다. 고객의 기억에서 회상되는 브랜드 중 최고 브랜드(top of mind brand)가 되면 강력한 평판을 형성하며 시장에서 상당한 경쟁우위를 차지할 수 있다. 예를 들어 신라면, 갤럭시, 코카콜라, 맥킨지 등은 각 제품, 서비스 카테고리 내에서 가장 먼저 떠오르는 최고 브랜드로서 카테고리 내에서 높은 시장점유율 유지에 기여한다.

브랜드 인지도 향상을 위한 전략은 세 가지가 있다. 먼저 반복적으로 광고를 함으로써 인지도를 높이는 것이다. 둘째, 인간이 언어보다 시각적 이미지를 더 잘 기억한다는 점을 이용하여 시각적 이미지를 활용하여 기업, 제품, 서비스를 브랜딩하는 것이다. 기업이나 제품의 로고가 전략적으로 중요한 이유가 여기에 있다. 셋째, 소리를 이용해 브랜드 특성과 상품 정보를 브랜딩하는 방법도 있다(예: 농심 신라면 CM 송).

② 브랜드 연상(브랜드 이미지)관리

브랜드 연상은 브랜드에 대해 떠오르는 모든 것이다. 예를 들어 소비자들은 스타벅스라는 브랜드를 들으면 녹색의 사슴뿔 로고, STARBUCKS라는 영문 로고, 스타벅스 텀블러, 세련되고 모던한 라이프 스타일 등을 떠올린다. 소비자의 특정 브랜드 사용 경험이 축적되고 브랜드 광고에 더 많이 노출될수록 브랜드에 대한 연상과 연상되는 대상 간의 연결은 더 강해진다.

브랜드 자산의 가치를 높이기 위해서는 소비자의 마음에 브랜드에 대한 1) 호의적이고, 2) 강력하며, 3) 독특한 이미지를 심어주어야 한다. 먼저 소비자가 브랜드에 갖고 있는 연상이 호의적인 점보다 부정적인 점이 더 많다면 브랜드 자산 가치를 높이기 어렵다. 예를 들어 기아자동차 레이의 경우, 호의적 이미지들(주차 용이성, 연비 효율성, 세금 · 유지비 절약 등)이 부정적인 이미지들(사고 시 위험, 좁은 내부, 약한 동력 성능 등)보다 소비자들의 마음속에 더 지배적으로 자리 잡고 있다면 브랜드 자산 가치를 높일 수 있다. 둘째, 소비자가 브랜드를 경험할 때 해당 브랜드와 연관성이 있는 이미지들이 즉각 떠오를 수 있도록 강력한 브랜드 연상을 구축해야 한다(예: SK II = 김희애). 셋째, 경쟁 제품과 차별화된 브랜드 연상을 형성해야 한다(예: BMW = 역동적인 드라이빙).

2) 인터넷 마케팅

(1) 의의

인터넷 마케팅(혹은 모바일 · 온라인 마케팅)은 웹사이트, 모바일 애플리케이션 등을 통해 상품을 판매하는 비즈니스 방식을 통칭한다. 인터넷 · 모바일 전자상거래가 활성화되면서 디지털 기반의 고객 인식 · 관심 촉진, 이메일, 카페, 모바일 애플리케이션을 사용한 양방향 커뮤니케이션, 주문에 대한 피드백 · 조언, 특정 제품 · 서비스에 대한 광고 및 프로모션 캠페인 등이 활성화되었다.

병원은 웹 사이트나 모바일 애플리케이션을 활용해 저렴한 비용으로 광고나 홍보를 하고 환자 고객과 커뮤니케이션할 수 있게 되었다. 인터넷 마케팅의 가장 큰 강점 중 하나는 마케팅 담당자가 개별 고객과의 활발한 소통을 통해 친숙한 유대감 형성이 가능하다는 것이다. 인터넷 마케팅을 통해 환자 고객들은 병원 웹사이트나 모바일 애플리케이션에서 진료 예약, 일정 조정 등을 할 수 있게 되었고 병원은 환자 고객을 엄청나게 증가시킬 수 있는 잠재력을 얻게 되었다.

(2) 인터넷 마케팅의 효과

인터넷은 마케팅 도구로서 많은 장점과 가치를 가지고 있다. 먼저, 인터넷은 기존 매체에 비해 공간에 제한이 없다. 한 대의 컴퓨터나 스마트폰으로 국내외 마케팅 활동을 수행할 수 있다. 둘째, 인터넷은 시간 제한이 없다. 24시간 광고를 계속하고 다양한 마케팅 활동을 할 수 있다. 셋째, 인터넷은 타깃 집단에 대한 접근을 용이하게 한다. 전자 메일이나 집단 SMS 전송을 통해 구체적인 필요를 느끼는 좁은 범위의 대상 그룹에 직접적으로 상품이나 브랜드 관련 정보를 제공할 수 있다. 넷째, 인터넷은 인플루언서를 활용한 입소문 마케팅(viral marketing)을 보다 효과적으로 수행할 수 있도록 한다. 다섯, 인터넷, 모바일 애플리케이션 광고 비용은 TV, 라디오, 신문 및 잡지 등 전통적 광고 매체에 비해 상대적으로 낮다. 병원은 인터넷, 모바일 광고를 통해 적은 비용과 노력으로도 효과적인 마케팅 결과를 얻을 수 있다.

3) 고객관계관리(CRM)

(1) CRM이란?

오늘날 기업들은 신규 고객보다 기존 고객에게 더 나은 서비스를 제공하고 이들을 미래의 고객으로 유지하는 데 심혈을 기울이고 있다. 예를 들어 자동차 영업 직원의 경우 기존 고객과 좋은 관계 유지함으로써 이들이 몇 년 후 새 차를 살 때 다시 자신을 찾게 하는 것이 새로운 고객을 계속 개척하는 것보다 마케팅 비용 절감이나 판매 성과 증대에 더 효과적이다. 여기서 고객 관계 관리(Customer Relationship Management, CRM)의 중요성이 강조된다.

고객 관계 관리는 고객 데이터 효과적으로 활용하여 고객 관계를 유지, 확대, 개선함으로써 고객 만족도와 충성도를 높이고 기업과 조직의 지속적인 확장, 발전을 추구하는 고객과 관련된 모든 프로세스와 활동을 말한다. 즉, 고객 데이터 분석을 통해 고객의 니즈를 선제적으로 파악하고 고객이 편리하고 즐거운 삶을 영위할 수 있도록 지원함으로써 고객을 평생 고객으로 유치하고 이를 기반으로 지속적인 매출과 장기적인 수익을 창출하는 모든 활동과 시스템을 말한다. 병원이 기존 환자의 건강 상태, 일상생활, 식단 등을 관리해주거나, 보험설계사나 PB(Private Banker)가 고객이 가입한 금융 상품과 더불어 재테크 전반에 대해 조언해주는 것들이 대표적인 고객 관계 관리 활동에 해당한다.

(2) CRM의 도입 배경

고객 관계 관리 활동은 정보기술의 발달, 산업의 디지털화, 인터넷의 보편화에 의해 가능해졌다. 정보 기술의 발달로 인해 기업은 고객의 구매에 미치는 요인에 대한 데이터를 축적, 구매, 공유할 수 있게 되었다. 따라서 기업 간 고객 관련 정보의 비대칭성이 약화되면서 기업 간 경쟁은 격화되었다. 기업들은 이러한 환경에서 경쟁우위를 확보, 유지하기 위해서는 고객 관리에 역량을 집중한다는 사실을 인식하게 되었다. 기업이나 병원은 고객 정보 분석을 통해 세분화된 고객에 대한 이해도를 높여 맞춤형 서비스를 제공할 수 있게 되었다.

(3) CRM 전략을 통한 고객변화 과정

고객은 불특정 다수, 잠재 고객, 고객, 일반 고객 및 충성 고객의 다섯 가지 유형으로 구분된다. 첫째, 불특정 다수는 모든 일반인을 포함한다. 둘째, 잠재 고객은 불특정 다수 중에서 기업의 상품을 구매할 가능성이 있는 집단을 지칭한다. 셋째, 상품을 실제로 구매한 잠재 고객은 고객이 된다. 넷째, 고객이 자사의 상품을 계속 구매하면 단골 고객으로 분류할 수 있다. 마지막으로, 주변 사람들에게 회사의 상품을 긍정적으로 알리고, 추천하고, 홍보하는 고객을 충성고객으로 분류할 수 있다.

고객 관계 관리에서 기업이 적극적으로 관리할 대상은 고객, 단골고객, 충성고객으로 볼 수 있다. 기업은 고객의 전 생애 걸쳐서 고객과의 거래 관계를 유지, 강화함으로써 장기적으로 고객의 만족과 기업의 수익성 극대화를 도모한다. 즉, 신규 고객과의 거래를 시작한 후 다양한 마케팅 수단을 활용하여 고객과의 관계를 우호적으로 관리함으로써 이들을 평생 고객으로 발전시키는 것이 고객 관계 관리의 전략적 목표가 된다.

고객 관계 관리 전략을 성공적으로 구현하기 위해서는 고객과 접촉하는 순간부터 고객 유지 단계까지 전 과정에서 고객 데이터를 획득하고 활용하는 프로세스를 구축해야 한다. 이 프로세스는 다음의 5단계로 나눌 수 있다. 첫째, 고객의 데이터 수집 단계에서는 다양한 채널을 통해 데이터를 수집하고, 고객 활동을 측정 및 예측할 수 있는 도구를 개발하고, 고객 니즈에 따라 고객을 세분화하고, 고객 기대치를 정의해야 한다. 둘째, 전략 수립 단계에서는 최적의 채널을 선정하고 예측에 따라 타깃 고객을 선정한다. 셋째, 수익 강화 기회 포착 단계에서는 고객의 니즈에 맞는 제품과 서비스를 정의하고 적절한 판매 촉진 시점을 찾아야 한다. 넷째, 신규 사업 설계 단계에서는 축적된 고객 지식을 바탕으로 세부 업무를 재설계하고 조직을 재편해야 한다. 다섯째, 고객과의 지속적인 교류를 위해서는 고객의 의견을 경청하고 고객 경험을 체계적으로 관리할 필요가 있다.

기출 문제

01 다음 중 시장세분화의 적절한 이유가 아닌 것은?

① 마게팅 자원을 효율적으로 이용힐 수 있다.
② 제품 속성과 시장욕구를 적정하게 조절할 수 있다.
③ 동일한 고객을 대상으로 비슷한 제품을 제공하는 대량 마케팅을 구사할 수 있다.
④ 모든 소비자에게 효과적으로 마케팅 할 수 있다.

정답 4

시장세분화는 마케팅 대상을 정하기 때문에 소비자 모두를 대상으로 하는 대량 마케팅과는 거리가 멀다.

02 시장세분화 기준으로 활용하는 변수에 대한 설명으로 가장 적절하지 않은 것은?

① 시장세분화 변수를 기준으로 많은 수의 구매자를 비슷한 성격을 가진 그룹으로 나눌 수 있다.
② 인구 통계학적 변수는 연령, 성별, 가족 수, 소득수준, 직업, 교육, 종교, 인종, 가족, 생애주기, 국적 등으로 구성된다.
③ 소비자 행동 변수에는 사용 시간, 사용 수준, 브랜드 충성도 등이 있다.
④ 지역, 인구 밀도, 도시 면적 등의 지리적 변수보다는 특정 개인 또는 그룹의 활동, 라이프 스타일, 관심사와 같은 생활방식 변수의 정확도가 더 높다.

정답 4

시장세분화는 ① 연령, 성별, 가족 수, 소득수준, 직업, 교육, 종교, 인종, 가족, 생애주기, 국적 및 인구와 같은 인구 통계학적 변수, ② 지역, 인구 밀도, 도시 면적 등의 지리적 변수, ③ 특정 개인 또는 그룹의 활동, 라이프 스타일, 관심사와 같은 생활방식 변수, ④ 사용 시간, 사용 수준, 브랜드 충성도와 같은 소비자 행동 변수를 활용하여 많은 수의 구매자를 비슷한 성격을 가진 그룹으로 나누는 것이다.

기출 문제

03 기업의 모든 활동이 고객만족이라는 목표 아래에서 기업의 모든 기능이 유기적으로 조정, 통합되는 마케팅의 개념은 무엇인가?

① 사회적 마케팅
② 전사적 마케팅
③ 환경 마케팅
④ 서비스 마케팅

정답 2

현대적 마케팅은 전사적 기능이 유기적으로 통합되는 전사적 마케팅을 추구한다.

---

04 매출액과 비용이 급격히 증가하고, 마케팅 목표는 시장점유율을 목적으로 하는 시기는 제품 수명주기상의 어디에 속하는가?

① 성장기
② 성숙기
③ 쇠퇴기
④ 도입기

정답 1

성장기에는 매출액과 비용이 급격히 증가하고, 마케팅 목표는 시장점유율을 목적으로 한다.

---

05 의료기관에서도 기업에서 사용하고 있는 마케팅 활동을 도입하여야 할 필요성이 강하게 제기되고 있으며 그 이유에 해당하지 <u>않는</u> 것은?

① 의료이용자의 수준 향상되었다.
② 의료기관의 공급이 확대되었다.
③ 의료기관의 경영수지가 악화되었다.
④ 트렌드이기 때문에 무조건 따라야 한다.

정답 4

비영리 기관인 의료기관에서 마케팅을 해야 하는 이유는 의료이용자의 수준향상, 의료기관의 공급확대, 경영수지 악화, 의료시장의 글로벌화 때문이다.

기출 문제

06 마케팅 전략을 수립하는 순서로 알맞은 것은?

① 시장세분화 – 포지셔닝 – 타깃팅
② 시장세분화 – 타켓팅 – 포지셔닝
③ 포지셔닝 – 타깃팅 – 시장세분화
④ 포지셔닝 – 시장세분화 – 타켓팅

정답 2

마케팅 전략수립은 STP라 하면 시장세분화, 타깃팅, 포지셔닝의 순서로 진행한다.

07 인간의 마음속에 뛰어드는 길이다. 일반적으로 이것은 상품, 서비스, 기업, 심지어는 사람을 포함한 특정한 대상의 이미지를 사람들의 마음속에 위치(인식)시키는 것으로 정의되고 있다. 이것은 무엇인가?

① 포지셔닝
② 가격차별화
③ 품질차별화
④ 경쟁전략

정답 1

포지셔닝(positioning)이란 인간의 마음속에 뛰어드는 길이다. 일반적으로 포지셔닝이란 상품, 서비스, 기업, 심지어는 사람을 포함한 특정한 대상의 이미지를 사람들의 마음속에 위치(인식)시키는 것으로 정의되고 있다.

08 마케팅 전략 중에 4P전략이 있는데 4P에 해당하지 않는 것은 무엇인가?

① 제품
② 가격
③ 유통
④ 브랜드

정답 4

마케팅믹스는 상품(product), 가격(price), 유통(place), 촉진(promotion)의 머리글자를 따 4P라고도 부르는데, 마케팅활동의 성패는 이러한 4P의 관리에 달려있다고 할 수 있을 정도로 이의 관리는 중요한 문제가 된다.

기출 문제

09 의료 서비스의 광고를 규제하는 법률은?

① 의료법 50조와 51조
② 의료법 52조와 53조
③ 의료법 54조와 55조
④ 의료법 56조와 57조

정답 4

의료법 56조 및 57조는 의료 서비스가 인간의 생명을 다룬다는 점을 고려하여 금지되는 의료 광고 유형과 의료법인, 의료기관, 의료인이 의료광고(정기간행물, 옥외광고물 중 현수막, 신문, 인터넷신문, 교통시설, 교통수단에 표시되는 광고, 전광판, 벽보, 전단, 대통령령으로 정하는 인터넷 매체 등)를 하려면 미리 광고의 내용과 방법 등에 관하여 보건복지부장관의 심의를 받아야 함을 명시하고 있다.

10 다음 중 의료 서비스의 유통에 대한 설명으로 가장 적절하지 않은 것은?

① 소비자의 선호도나 구매 패턴에 따라 이용하는 의료 서비스 유통 경로가 달라진다.
② 병원 측면에서 유통 경로의 유형은 1차 의료기관, 2차 의료기관, 3차 의료기관, 프랜차이즈, 집단 개원 등이 있다.
③ 인터넷과 정보 통신 기술의 발달로 생산자와 소비자 간의 상품 및 정보 전달이 가속화되면서 의료 서비스 유통경로 또한 전세계적으로 다변화되는 추세이다.
④ 국내 시장에서 공공성을 갖는 의료기관의 유통경로는 법적 규제에 의해 정해져 있다.

정답 4

국내 시장의 의료 서비스의 진료수가는 정부와 건강보험의 규제를 받지만 유통경로는 규제 대상이 아니다.

기출 문제

11 촉진전략에 대한 설명으로 적절하지 않은 것은?

① 광고는 많은 사람에게 도달될 수 있지만, 비대면적이고 고객을 직접적으로 설득하는 데에는 효과가 불분명하다.

② 인적판매는 여러 사람의 특징을 관찰할 수 있지만 신속하게 이에 대응하기는 어렵다.

③ 뉴스거리, 기사 등을 활용한 홍보는 광고보다 신뢰도 높은 메시지 전달이 가능하다.

④ 판매촉진은 가격할인, 이벤트 등을 통해 고객의 주의를 끌고 단기적으로 구매를 유도하는 데 적합하다.

정답 2

영업 직원은 인적판매를 통해 개별 고객의 욕구, 표현, 행동 등에 신속하고 유연하게 대응할 수 있다. 또한 인적판매 과정에서 일어나는 영업 직원의 즉각적 피드백은 고객이 보다 쉽게 구매 관련 선택을 할 수 있도록 촉진하는 데 효과적이다.

12 온라인상에 웹사이트를 이용하여 제품을 판매하는 비즈니스의 방식은 무엇인가?

① 인터넷 마케팅

② 매장 마케팅

③ 그린 마케팅

④ 소셜 마케팅

정답 1

인터넷마케팅(internet marketing)은 온라인상에 웹사이트를 이용하여 제품을 판매하는 비즈니스의 방식을 말하는 것으로 온라인 마케팅(online marketing), 사이버 마케팅(cyber marketing)과 종종 동의어로 사용된다. 마케터들은 인터넷을 다양하게 커뮤니케이션 활동을 위해 사용한다.

기출 문제

13 브랜드 관리에 대한 설명으로 가장 적절하지 않은 것은?

① 브랜드는 상품 이름, 용어, 상징, 디자인 또는 조합 등과 같이 다른 상품들과 차별될 수 있는 상품과 관련된 모든 것을 포괄하는 용어이다.

② 브랜드가 전략적 자산이 되기 위해서는 소비자의 마음속에 경쟁기업과 명확하게 구분되는 브랜드 아이덴티티(brand identity)를 구축해야 한다.

③ 경쟁기업 제품 간 품질 차이가 크고 유형의 제품이 거래되는 시장에서 브랜드 이미지가 소비자의 제품, 서비스 선택에 결정적인 역할을 한다.

④ 기업들은 브랜드 이미지의 강화, 차별화를 통해 브랜드 자산을 구축함으로써 가격 경쟁을 줄이고 시장 점유율을 높이며 안정적인 수익성을 유지할 수 있다.

정답 3

경쟁기업 제품 간 품질 차이가 적거나 무형의 서비스 상품이 거래되는 시장에서 브랜드 이미지가 소비자의 제품, 서비스 선택에 결정적인 역할을 한다.

14 브랜드인지도 관리에 대한 설명으로 가장 적절하지 않은 것은?

① 브랜드 회상은 제품 카테고리 내의 여러 브랜드 중에서 해당 브랜드를 소비자가 보거나 들은 적이 있는지에 대해 조사하여 측정될 수 있다.

② 고객의 기억에서 회상되는 브랜드 중 최고 브랜드(top of mind brand)가 되면 강력한 평판을 형성하며 시장에서 상당한 경쟁 우위를 차지할 수 있다.

③ 소비자가 브랜드에 갖고 있는 연상이 호의적인 점보다 부정적인 점이 더 많다면 브랜드 자산 가치를 높이기 어렵다.

④ 브랜드 인지도 향상에 효과적인 전략으로서 반복적인 광고 노출, 시각적 이미지 활용, 소리의 활용 등이 있다.

정답 1

브랜드 회상은 브랜드 인식에 비해 더 강력한 형태의 인지 방식으로서 고객의 기억에 저장된 특정 브랜드 정보를 꺼낼 수 있는 능력을 의미한다. 소비자가 제품 카테고리 내에서 생각하는 브랜드를 열거하는 과정을 통해 브랜드 회상 여부, 정도를 확인할 수 있다.

기출 문제

15 고객 관계 관리(CRM)에 대한 설명으로 가장 적절하지 않은 것은?

① CRM은 단기적인 마케팅 성과 향상을 추구한다.

② CRM은 고객 데이터베이스를 중요한 정보로 활용한다.

③ CRM은 고객과의 신뢰형성에 기반을 둔다.

④ CRM은 충성고객의 지인을 고객으로 유치하는 것도 중요한 목표의 하나로 본다.

정답 1

CRM은 고객과의 장기적 신뢰 관계를 형성하여 장기적인 매출을 높이는 전략을 추구한다.

CHAPTER

원무관리

Dental Management Officer

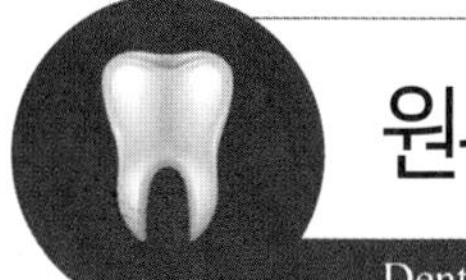

원무관리

Dental Management Officer

08

1. 원무관리의 소개

1) 원무관리의 개념 소개

(1) 원무관리란?

'원무'는 '병원사무'라는 한자어를 줄인 말이다. 보통 조직을 유지하고 발전하기 위해서, 그리고 달성하고자 하는 목표를 설정하여 이루기 위해서 여러 자원을 통해 효과적으로 운영하는 것을 '관리'라고 한다. 이렇게 볼 때 원무관리는 병원을 운영하는데 있어 전반적인 사무 관리를 뜻하며, 병원활동에 필요한 데이터를 모으고 분석 및 처리하는 전반적인 정보 처리 및 관리의 과정이다. 이러한 측면에서 원무관리는 병원 내에서 생산되는 그리고 수집되는 데이터를 기반으로 하여 보관, 분석, 처리 등의 과정을 통해서 병원 운영이 효율적으로 그리고 병원 기능이 적절하게 이뤄질 수 있도록 하여 운영과 효율이 향상되도록 기획, 통제하는 활동이다. 하지만 일반적으로 원무관리는 좁은 의미에서 병원의 사무활동 중 병원 서비스를 이용하는 이용객들 즉 환자들이 병원을 이용함에 있어 서비스를 편리하게 받을 수 있도록 수속 절차와 그와 관련된 부대 업무(진료비관리 및 진료지원업무)를 관리하는 것을 의미한다. 본서에서도 광의의 의미보다 좁은 의미(협의)의 개념을 사용하고자 한다.

(2) 원무관리가 발전한 배경

원무관리가 발전한 배경에 대해서 알아보자.

배경	상세 설명
의료보장의 확대	· 의료보장제도의 확대 적용 · 관련 법령의 제정 및 공포에 따라 환자의 증가와 진료비관리 업무처리가 복잡해짐 · 관련 업무량도 증가 · 의료에 관한 사무의 확대 필요성과 별도의 전문적인 관리 체계가 요구

의료정보기술의 발전	· IT기술의 발달로 많은 병원에서 OCS, PACS, EMR 등 첨단 의료정보체계가 구축 · 과거 수작업으로 이루어지던 체계에서 벗어나 신속하고 정확한 관리체계로 업무효율성을 확보
고객의 요구변화	· 전반적인 소득수준의 향상에 따른 의료에 대한 높은 기대 증대 그리고 고급화 성향 · 의료지식의 보편화 · 소비자 권리의식의 향상에 따른 의료이용자들의 능동적 태도변화
의료기술의 발전	· 병원의 모든 업무를 전문화하고 세분화함으로 인해 대형화되고 업무절차가 복잡해짐 · 전문화된 진료지원 업무와 업무절차상 필연적인 연관성을 지닌 원무행정도 일반사무 부분과 분리됨 · 전문성이 증대되고 중요성이 강조되는 고유한 영역으로 발전
병원규모의 확대	· 외래위주의 진료기능에서 입원진료기능의 추가로 환자수용시설이 확대 · 환자수의 증가에 따라 업무량 및 직원 수가 증가 · 업무의 분업화(전문화)로 조직화와 통제 요구사항 증대

2) 원무관리의 대상과 역할

(1) 원무관리 업무 구분 및 상세 설명

업무 구분	설명
창구대응업무	환자와 직접 접촉하여 진료접수, 환자대장, 진료비계산, 수납, 증명발급, 안내 등을 즉시 처리하는 업무
창구지원업무	창구대응업무가 원활하게 수행되도록 지원하며 의무기록관리, 전표관리, 환자고충처리, 미수금관리, 보험청구, 병동 서기업무 등이 이에 포함
전반관리	원무행정 전반에 걸쳐 병원경영의 목표에 맞도록 운영 조정하며, 진료수가의 관리 및 자료의 분석을 통한 원무정책을 수립하는 업무

(2) 원무관리자의 역할

① 고객과 의료진을 포함하는 이용자와 관련 이해관계자를 대상으로 상호간의 업무 지원 및 조율 등을 수행하면서 각 이해관계자에게 높은 만족도의 서비스를 제공하는 역할을 수행해야 한다.

② 의료진을 포함한 의료 서비스 제공자들이 관련 업무를 수행할 수 있도록 전반적인 지원 업무 및 서비스를 효율적으로 제공하여 환자진료 등의 업무 수행함에 있어 불편함이 없도록 지원하여야 한다.

③ 병원 내방객들이 편안한 환경에서 서비스를 받을 수 있도록 절차 및 제반 수속 등의 편의를 제공하고 기대치에 부합하는 서비스를 받을 수 있도록 해야 한다.

④ 의료기관이 비영리기관이기는 하지만 병원의 유지 및 존속에 필요한 적정 이윤을 확보하여야 한다. 그렇기 때문에 병원 운영자 및 경영진에게는 적절한 이윤 및 수익을 확보하도록 하여 조직의 운영 및 유지를 위한 적절한 보험수가 관리 그리고 진료비 산정 활동을 할 수 있어야 한다.

2. 의료보장관리

1) 국민건강보험

(1) 개요

건강보험제도란 질병이나 부상 등에 예상치 못한 상황에 대비하여 평상시 보험료를 보험자에게 내어 관리하고 이웃 · 가족 · 본인이 질병 또는 상해로 인하여 일시적으로 많은 지출을 하게 되어 재정적인 어려움을 겪는 것을 미연에 방지하고 필요시 적절한 의료서비스를 받을 수 있는 기반을 마련하여 국민건강 및 가정생활의 안정을 도모하는 제도이다. 즉 건강보험은 질병이나 부상 등으로 인해 개인이 감당하기에 높은 진료비를 지출하여 가계가 재정적인 곤란을 겪는 경우를 사전에 방지하기 위해 보험 원리에 의거하여 피보험자 측 국민들이 평소에 보험료를 기금화하여 필요시 보험급여를 제공하여 위험분담을 하는 제도이다.

(2) 적용대상

건강보험 적용대상자는 다음과 같다.

① 국내에 거주하는 국민

② 건강보험적용을 받지 아니하는 자를 제외하고는 건강보험의 가입자(직장, 지역) 또는 피부양자(직장가입자에 의하여 주로 생계를 유지하는 자)

③ 다만 [의료급여법]에 따라 의료급여를 받는 자, [독립유공자예우에 관한 법률] 및 [국가유공자 등 예우 및 지원에 관한 법률]에 의하여 의료보호를 받는 자는 제외

(3) 건강보험 관리 관계자 및 체계

① 건강보험 관계자(운영 주체 및 관계기관)

A. 보건복지부: 국민건강보험법 하에서 국가를 대신하여 건강보험사업을 수행하는 주체는 건강보험사업을 관장

B. 직장 또는 지역 가입자: 건강보험의 재원조달 납부 주체(매월 납부하는 보험료, 건강증진기금 및 국고지원, 본인부담금 등에 의해 조달)

C. 국민건강보험공단: 건강보험사업을 관리 운영하는 주체인 보험자

D. 건강보험심사평가원: 건강보험의 심사 평가업무를 담당

E. 기타: 요양급여를 실시하는 요양기관 등

(4) 건강보험급여 상세

① 요양급여

A. 정의

가입자 및 피부양자가 질병 · 부상 · 출산 등으로 인하여 의료서비스를 받아야 할 경우(진찰 · 검사 · 처방 등), 그리고 수술 등의 치료, 예방 · 재활 · 이송 · 간호 등을 포함한 서비스를 제공하는 것을 말한다.

B. 구분

a. 1단계: 가벼운 질환의 경우 의원과 같은 1단계 요양기관을 이용함

b. 2단계: 중증 또는 1단계 요양기관에서 치료가 어려운 경우 상급종합병원과 같은 2단계 요양급여를 받아야 함

* 상급종합병원을 통해 2단계 요양급여를 받아야 하는 경우 1단계 요양기관에서 상급 기관의 요양급여가 필요하다는 의사소견이 필요하다. 이 경우 요양급여 의뢰서, 건강진단, 건강검진 결과서 등을 제출하여야 한다.

c. 예외: 아래의 경우에는 2단계인 상급종합병원에서 바로 1단계 요양급여를 받을 수 있다.

- 응급 또는 분만 환자
- 자가 재활의학과에서 요양급여를 받는 경우(작업치료 · 운동치료 등의 재활치료가 필요하다고 인정되는 경우)
- 가정의학과에서 요양급여를 받는 경우
- 상급종합병원에서 근무하는 가입자가 요양급여를 받는 경우

- 혈우병환자가 요양급여를 받는 경우
- 치과에서 요양급여를 받는 경우

② 건강검진

건강보험공단은 피부양자 또는 가입자를 위하여 질병의 조기발견과 그에 따른 선제적 치료 서비스를 제공하기 위해 건강검진을 실시하고 있다. 건강검진을 통해 일반 국민들이 질병을 조기에 발견함으로써 질병 및 부상의 발생을 미연에 예방하고 국민의 건강을 향상 시킬 수 있다. 건강검진의 내역과 그 대상은 아래와 같다.

구분	대상
일반건강검진	직장가입자 세대주인 지역가입자 20세 이상인 지역가입자 및 20세 이상인 피부양자
영유아 건강검진	6세 미만의 가입자 및 피부양자
의료급여 생애전환기 건강진단	의료급여 주급권자 등 만 66세 이상 세대주 및 세대원
암검진	검진이 필요한 자로서 보건복지부장관이 정하여 고시하는 자(일반 건강검진 대상자 중 암종별 특성을 고려)

건강검진을 통해 건강의 유지 증진은 물론 보험급여비용의 절감효과를 얻을 수 있다.

③ 요양비

피부양자 또는 가입자 긴급한 또는 부득이한 사유로 요양기관과 유사한 서비스를 제공하는 기관에서 부상 · 질병 · 출산 등으로 인하여 요양 서비스를 제공받거나 요양기관 이 외의 장소에서 출산을 한 경우 통상 제공받는 요양급여의 금액을 피부양자 또는 가입자에게 요양비로 지급하고 있다.

④ 장애인보장구급여비

건강보험관리공단은 [장애인복지법]에 의거하여 등록한 장애인인 가입자 및 피부양자에게 보장구에 대하여 보험급여를 실시할 수 있도록 규정하고 있다. 이는 의수족, 보조기, 휠체어, 안경, 보철 및 보청기 등이 포함되는데 질병이 치료된 이후에 상해 또는 장애를 회복하고 재활을 돕기 위함이다.

⑤ 본인부담액상한제

과대한 진료비 지출로 인한 가입자의 경제적 부담을 덜어주기 위하여 소득수준에 따라 1년간 진료비(본인부담금)가 일정 구간을 초과할 경우 그 초과금액을 공단이 부담하는 제도이다. 이를 통해 건강보험 보장성을 확보하고 가입자의 부담을 최소화하기 위해 시행되고 있다.

(5) 급여의 제한과 정지

구분	아래의 경우 급여 제한 및 정지가 가능
급여 제한	고의 또한 중대한 과시로 인한 범죄행위에 기인하거나 고의로 사고를 발생시킨 경우
	고의 또는 중대한 과실로 공단이나 요양기관의 요양에 관한 지시에 따르지 않은 경우
	고의 또는 중대한 과실로 문서 기타 물건의 제출을 거부하거나 질문 또는 진단을 기피한 경우
	업무상 또는 공무상 질병 · 부상 · 재해로 인하여 다른 법령에 의한 보험급여나 보상 또는 보상을 받게 되는 경우
급여 정지	국외에 여행 중인 경우
	국외에서 업무에 종사하고 있는 경우
	병역법의 규정에 의한 현역병(지원에 의하지 아니하고 임용된 하사 포함), 전환 복무된 사람 및 무관후보생
	교도소 기타 이에 준하는 시설에 수용되어 있는 경우

(6) 비급여대상(요양급여에서 제외되는 범위)

① 단순한 피로 또는 권태 등을 포함한 업무, 또는 일상생활에 지장이 없는 경우에 실시 또는 사용되는 치료 · 재활 · 의료서비스

② 신체의 필수 기능개선 목적이 아닌 본인의 희망에 의한 건강검진, 예방접종 등 보험급여와 관련하여 요양급여로 인정하기 어려운 경우

③ 그 밖에 건강보험급여원리에 부합하지 아니하는 경우

(7) 진료비 심사와 청구

우리나라의 진료비지불제도는 행위별수가제(fee for services, FFS)를 원칙으로 하고 아래의 프로세스로 진료비를 심사하고 청구한다.

① 피보험자는 보험료를 내고 의료공급자로부터 진료를 받는다.
② 본인부담분을 제외한 나머지부분은 의료공급자가 보험자에게 청구한다.
③ 보험자는 심사기구(건강보험심사평가원)에 심사의뢰를 하고 심사결과에 따라 진료비를 요양기관에 지불한다.

2) 의료급여

(1) 수급권자 선정기준 및 유형

① 선정기준

선정기준의료급여는 [국민기초생활보장법]에 의거한다. 수급권자와 이재민, 의사상자, 국가유공자 및 중요무형문화재 보유자 등 타법에 의한 대상자 및 법령상 일정한 조건을 갖춘 환자를 의료급여 수급권자로 선정한다.

② 유형

A. 구분

[국민기초생활보장법]에 의거하여 수급자는 1종 및 2종으로 구분하여 본인부담금에 차등을 둔다.

B. 구분 기준

근로능력의 유무로 1종과 2종을 구분한다. 기초생활보장수급자 중 근로능력이 없는 자는 1종, 근로능력이 있는 자는 2종이 된다.

(2) 의료급여 수준

의료급여는 수급권자에게 질병 · 부상 · 출산 등에 대한 의료서비스(진찰, 검사, 치료 등)의 지급 그리고 그 밖의 수술, 치료, 예방, 재활 등의 의료목적 달성을 위한 조치를 국가재정으로 제공한다.

(3) 본인부담금

법정본인부담금은 수급권자의 종별(1종 · 2종)에 따라 달리 적용되는데 수급권자의 법정본인부담금을 제외한 금액의 전액을 국가는 법령에서 따라 지원한다.

(4) 의료급여기관

1차적으로 수급권자가 의료급여를 받고자 하는 경우에는 제1차 의료급여기관에 의료급여를 신청하여야 한다. 하지만 불가피한 경우 제2차 또는 3차 의료급여기관에 급여를 신청할 수 있다.

- 제1차 의료기관: 의료법에 따라 시장 · 군수 · 구청장에게 개설 신고한 의료기관, 보건소 · 보건의료원 및 보건지소, 약국, 한국희귀의약품센터 등이 포함
- 제2차 의료급여기관: 제2차 의료급여기관은 의료법에 따라 지정된 상급종합병원이며 의료법에 따라 시 · 도지사가 개설 허가한 의료기관

(5) 의료급여수가체계

요양기관 종별 가산율에 일정 정도 차이를 두고 있으며 의료급여 수가수준은 건강보험행위별 수가에 의거하여 산정한다.

(6) 의료급여 관리운영체계

의료급여 수급권자가 원활한 의료급여를 받을 수 있도록 아래의 의료급여 사업기관들이 각각의 역할을 부여받아 의료급여업무를 수행하고 있다.

- 보건복지부: 의료급여 주요 정책 개발 · 결정 및 의료급여사업의 총괄적인 조정 및 지도감독 업무를 수행하고, 시 · 도는 의료급여기금 관리 · 운영 및 보장기관에 대한 지도감독 업무를 담당
- 시 · 군 · 구: 보장기관으로서 수급권자의 자격선정과 관리업무를 수행
- 건강보험심사평가원: 진료비 심사 및 급여 적정성 평가 수행
- 국민건강보험공단: 진료비 지급업무, 수급권자 자격 및 개인별 급여내역의 전산관리 등을 각각 위탁받아 업무를 수행

(7) 진료비청구 및 심사

① 의료급여환자에게 의료를 제공한 의료급여기관이 심사평가원에 의료급여 비용을 청구함

② 심사평가원은 급여내역에 대한 심사 · 경가업무를 수행. 그리고 국민건강보험공단으로부터 수급권을 확인함. 심사결과와 공단에서의 수급권 점검

결과를 반영하여 의료급여기관 및 보장기관(시 · 군 · 구)에 최종결과를 통보함

③ 국민건강보험공단은 수급권을 확인 후 심사평가원의 심사결과와 수급권 점검결과에 따라 요양급여기관에 의료급여 비용을 지급하고 보장기관(시 · 군 · 구)에 지급결과를 통보함

3) 산업재해보상보험

(1) 정의

근로자가 업무상의 사유로 부상, 질병, 신체장애, 사망 등의 재해를 당한 경우 치료비와 보상금을 지급하고 장학금 및 생활정착보조, 직업재활 등을 국가가 관장하는 사회보장제도

(2) 산재보험의 특징

특징	설명
사회보험방식	사용자의 직접보상방식으로는 산재근로자에 대한 보상의 실현을 보장하기 어렵기 때문에 국가의 책임 하에 사용자들의 보험료를 재원으로 하는 사회보험방식을 채택
무과실책임주의	근로자의 업무상 재해에 대하여 사용자에게는 고의, 과실의 유무를 불문하고 보상을 보장하는 무과실책임주의
사업주가 전액 부담	보험사업에 소요하고 재원인 보험료는 원칙적으로 사업주가 전액 부담
일정률에 따라 보험급여	산재보험급여는 재해발생에 따른 손해전체를 보상하는 것이 아니라 산재근로자의 연령, 직종, 노동능력 및 근무기간 등에 상관없이 평균임금을 기초로 하여 법령에서 정한 일정률에 따라 보험급여를 지급
자진선고 및 자진납부	자진선고 및 자진납부를 원칙
사업장 중심의 관리	타 사회보험과는 달리 산재보험은 사업장 중심의 관리가 이루어짐

(3) 산재보험 적용범위

「산업재해보상보험법」은 원칙적으로 근로자를 사용하는 모든 사업 또는 사업장에 적용된다. 따라서 아르바이트생이나 비정규직 근로자, 일용직 근로자도 업무상 재해를 당한 경우 원칙적으로 산업재해보상 보험급여를 받을 수 있다.

▶ 적용제외사업장

① 공무원연금법 또는 군인연금법에 따라 재해보상이 되는 사업

② 선원법, 어선원 및 어선 재해보상보험법 또는 사립학교교직원 연금법에 따라 재해보상이 되는 사업

③ 주택법에 따른 주택건설사업자, 건설산업기본법에 따른 건설업자, 전기공사업법에 따른 공사업자, 정보통신공사업법에 따른 정보통신공사업자, 소방시설공사업법에 따른 소방시설업자 또는 문화재수리 등에 관한 법률에 따른 문화재수리업자가 아닌 자가 시공하는 공사

④ 가구내 고용활동

⑤ 위의 사업 외의 사업으로서 상시근로자 수가 1명 미안인 사업

⑥ 농업, 임업, 어업 및 수렵업 중 법인이 아닌 자의 사업으로서 상시근로자 수가 5명 미만인 사업

(4) 보험급여

보험급여의 종류는

- 요양급여
- 휴업급여
- 장해급여
- 간병급여
- 유족급여
- 상병보상연금
- 장의비
- 직업재활급여 등

4) 자동차보험

(1) 의의

자동차보험은 피보험자가 자동차를 소유, 사용 또는 관리하는 동안에 발생하는 사고로 인하여 피보험자에게 생긴 손해를 보험자가 보상하는 보험이다. 자동차사고로 인해 피보험자 자신이 직접 입은 손해를 보상하는 보험, 자동차의 사고와 관

련하여 피보험자가 제3자에게 배상책임을 짐으로써 입은 손해를 보상하는 책임보험이 있다. 현재 자동차보험은 자동차소유주이면 누구나 의무적으로 가입해야 하는 책임보험(책임공제)과 피보험자가 임의로 가입하는 종합보험이 있다.

(2) 자동차보험의 종류

① 자동차손해배상책임보험

책임보험은 자동차를 소유하고 있는 사람은 누구나 의무적으로 가입해야 하는 강제보험이다. 혹시 모를 사고발생의 경우 최소한의 피해자 보호가 책임보험의 목적이다.

② 자동차 종합보험

자동차종합보험은 자동차를 소유하여 사용 또는 관리하는 동안에 발생한 자동차사고로 피보험자가 입은 손해를 보상할 목적으로 하는 임의보험으로 개인용, 업무용, 영업용자동차 종합보험이 있다.

A. 개인용 자동차종합보험: 자동차등록원부상 소유자가 개인(자연인 및 개인사업자)인 자가승용차가 가입대상
B. 업무용 자동차종합보험: 개인용 자동차종합보험 가입대상이 아닌 모든 비사업용 자동차가 가입대상

자동차종합보험의 주요 보상내용은

A. 대인배상(사망보험금, 부상보험금, 후유장해보험금 등)
B. 대물배상(수리비용, 교환가액, 대차료, 휴차료, 영업손실 등)
C. 그리고 차량손해, 자기신체사고, 자동차상해, 무보험자동차에 의한 상해 등에 대한 보상

(3) 자동차보험 급여관리

① 입원진료

입원하는 경우 교통환자 담당에게 입원카드가 인계되어 재원관리를 하게 된다. 그리고 보험회사로 연락하여 접보조치를 하도록 한다. 구체적인 진단결

과 이후에 담당 의사에게 진단서(교통사고 처리용)를 발급받아서 보험회사의 보험접보 및 경찰서 사고처리에 사용한다.

② 응급진료

교통사고에 의해 부상을 입은 응급환자를 위해 응급실에서 구급진료가 어느 정도 진행되고 상황이 다소 안정되면 보호자를 면담하고 사고 경위를 확인한다. 응급실에서의 진료는 환자 측에서 일단 부담하고 차후에 영수증을 첨부하여 가해자의 보험회사에 청구하면 지불 받을 수 있음을 안내한다. 입원을 하게 되는 경우에는 추후에 병원에 해당보험회사로 청구하게 됨을 안내하여야 한다.

③ 진료비 관리

▶ 기준

- 보건복지부장관이 정한 범위에서 일반환자의 진료에 관하여 보편타당한 범위 및 기술 등으로 인정한 진료기준 및 건강보험요양급여행위 및 그 상대가치점수를 기준으로 한다.
- 자동차보험의 진료비: 진료료, 약가, 진료재료 및 기타 비용으로 구분하여 산정된 금액을 합한 금액이며 자동차보험으로 보장되지 않는 진료비는 교통사고 환자가 부담하게 된다.

④ 교통사고 환자의 의료보장 적용

A. 업무용이나 영업용자동차를 직접 운전하다가 사고를 유발한 운전자나 피보험자가 부상을 당한 경우에는 산업재해보상보험을 적용

B. 다음과 같은 경우에는 피해자가 보유하고 있는 건강보험이나 의료급여, 산재급여 등을 적용

a. 운전자 본인의 부상

b. 가해차량 운전자 또는 피보험자의 부모, 배우자, 직계자녀의 부상

c. 뺑소니 차량에 의한 사고(책임보험 범위 내 제외)

d. 무보험차량에 의한 사고로 가해자의 보상능력 부재(책임보험 범위 초과분)

e. 천재지변, 소요사태로 인한 사고

3. 의료 및 입·퇴원관리

1) 외래업무관리

(1) 외래 업무개요

① 외래업무병원에 입원하지 않은 상태의 환자를 대상으로 함

② 전문의의 의학적 진단과 지시에 따라 병원의 진료시설과 장비를 이용하여 신속하고 정확한 의료서비스를 제공받는 과정에 관련한 제반 수속 및 수납에 관한 일

(2) 외래 업무 구분

① 병원을 이용하는 환자는 수진 형태에 따라 입원환자 · 외래환자 · 응급환자로 구분

② 내원유형에 따라 초진환자와 재진환자, 보험급여 적용유형에 따라 일반환자, 건강보험환자, 의료급여환자, 산재보험환자, 공무상요양환자, 자동차보험환자 등으로 구분

구분	설명
일반환자	· 건강보험미가입자(내국인) · 건강보험미가입 외국인 · 비급여대상자(국민건강보험법 제39조1항에 의한 요양급여를 함에 있어 업무 또는 일상생활에 지장이 없는 질환 등) · 국민건강보험법 제48조에 의하여 급여가 제한된 환자
건강보험환자	· 국민건강보험법에 의한 가입자 또는 피부양자로서 건강보험급여 대상인 환자
의료급여환자	· 의료급여법 제3조에 의한 수급권자
산재보험환자, 공무상 요양환자	· 공무원 · 교직원 · 근로자가 사업장에서 공무 · 직무업무에 기인하여 발생한 재해 또는 부상을 입은 환자로서 [공무원연금법], [군인연금법], [사립학교교직원연금법] 적용 시 공무상 요양환자이고 그 사업장이 [산업재해보상보험법] 적용 대상업체일 경우에 해당하는 자
자동차보험환자	· [자동차손해배상보장법]에 의한 책임보험 또는 종합보험에 가입된 차량과 여객자동차운수사업법에 의한 공제조합에 가입한 차량으로 인하여 부상을 당한 환자로서 자동차보험회사에서 지불보증을 한 환자

(3) 외래업무의 주요내용

① 외래업무는 환자의 진료와 관련하여 수행되는 제반수속과 절차에 관한 것

② 환자가 병원을 방문하여 진료 후 입원하거나 귀가하기까지 과정에서 이루어지는 업무

③ 외래관리업무의 주요내용으로는

A. 의료보장 유형별 초진 및 재진환자의 진료신청 접수
B. 처방내역 확인 및 진료비 계산 · 수납
C. 진료비 환불
D. 진료일정 및 변경관리
E. 외래진료비 미수금발생 및 청구에 관한 사항
F. 수익집계와 일보작성
G. 각종 통계자료 작성
H. 진단서 및 각종 증명서 발급에 관한 사항
I. 건강검진 및 신체검사, 각종 민원업무 해결
J. 관공서 및 보험자 관련 공문서 처리 등

2) 입·퇴원관리

(1) 개요

입원수속 담당은 입원접수증 및 입원환자카드를 인계 받아 입원수속을 진행하고, 환자로부터 보험유형에 맞는 구비서류를 제출 받아 모든 절차가 끝나면 입원병동에서 환자에게 입원생활에 대한 안내를 시작으로 입원수속은 종료되며 입원진료가 시작된다.

① **입원수속**

외래진료 또는 응급진료를 통하여 입원진료가 필요하다는 의학적 판단이 내려지면 진료는 담당한 의사는 입원을 권유하고 입원결정서를 발부함으로써 입원수속이 시작

② **입원진료**

환자를 병실에 수용하여 투약 · 식이 · 간호 등의 집중적인 치료와 특수한 검사 또는 수술 등을 통하여 병인을 제거하고 건강을 회복하도록 하는 것

(2) 재원환자관리

① 대상

재원환자관리는 현재 입원중인 환자를 대상으로 함

② 업무 내용

A. 수급자격 · 진료비계산 · 전실전과 · 외박외출 · 문제가 예상되는 환자의 사전파악 등 행정적인 지원업무

B. 의료서비스 제공 및 예상되는 문제를 조기에 파악하여 대응

C. 의료기관과 환자 및 관련기관들 과의 관계 유지를 위한 관리업무

③ 업무 종류

A. 병상관리

B. 재원일수관리

C. 진료비관리

D. 입원환자 및 보호자 상담 등

4. 원무행정지원 관리

1) 제증명서 관리

(1) 개요

진단서 등 제증명 서류는 환자의 진찰과 검사 및 처치의 결과를 종합하여 생명이나 건강의 상태를 증명하기 위하여 의사가 작성하는 의학적 · 임상적 판단서이다.

(2) 제증명서의 종류

- 건강진단서
- 일반진단서
- 병사용진단서
- 공무원요양용진단서

- 보험용진단서
- 사망진단서
- 사체검안서
- 장애진단서
- 상해진단서
- 출생증명서
- 사산증명서
- 사태증명서 등

(3) 제증명 발급 종류 및 방법

① 의료진 발급

의료진발급은 환자 및 보호자가 신청한 수만큼 의사가 직접 기록 · 작성 · 날인하는 방법으로 의료진이 직접 작성하기 때문에 정확하고 날조나 유출의 위험이 없는 방법이나, 발행수가 많을 경우 바쁜 진료일정에 많은 시간을 할애해야 하는 어려움이 있음

② 전산이용 발급

전산이용 발급은 의료진이 원본만 작성하고 제 증명 창구담당자 신청 수만큼 전산을 이용하여 발급하는 방법. 전산 발급 시에는 발급원본을 보관하고 추가발급 요청 시에는 재작성해야 하는 번거로움 없이 전산내용을 조회하여 시간절약 및 고객의 불만을 줄일 수 있음

③ 전자문서이용 발급

전자문서이용 발급은 의료진이 제 증명서는 전산화면에서 작성하여 서명, 날인 후 제 증명 발급창구로 전송시키는 방식. 창구에서는 원본을 보고 다시 작성하는 번거로움이 줄기 때문에 고객의 대기시간을 단축할 수 있어 고객 불만을 해소시킬 수 있는 발급 방법

(4) 제증명 발급 시 유의사항

① 진단서발급대장은 병원실정에 맞게 작성하여 사용하여야 한다.

② 증명서 발급 시에는 거주지주소 및 주민등록번호, 본인 또는 대리인 여부,

인적사항을 반드시 확인하여야 한다.

③ 제 증명발급 담당자는 증명서 발급에 따른 수수료를 정확하게 부과하여야 한다.

④ 제 증명발급신청 자격 숙지, 관련법규 등을 잘 숙지하고 있어야 한다.

⑤ 진단서는 그 사본을 진료기록부와 별도로 진단서별로 연도별, 발급일자별, 일련번호순으로 구분하여 보관하여야 한다.

2) 미수금 관리업무

(1) 미수금의 정의

병원이 환자에게 제공한 의료서비스 항목에 해당하는 수가를 적용하여 발생된 진료비 총액 중 진료행위가 종료된 시점에 병원수익으로 현금화되지 못한 진료비를 말한다. 진료행위와 동시에 진료수입이 인식되고 진료비의 수납이 이루어져야 하며, 이때 수납되지 아니한 진료수입은 진료미수금이 된다.

(2) 분류

기준	종류
회계기준에 의한 분류	재원미수금, 퇴원미수금, 외래미수금
진료형태에 따른 분류	외래미수금, 입원미수금
환자유형에 따른 분류	건강보험환자미수금, 의료급여환자미수금, 자동차보험환자미수금, 산재보험환자미수금, 일반환자미수금, 기타미수금
보험자(제3지불자)에 따른 분류	건강보험관리공단미수금, 의료급여기관미수금, 자동차보험회사미수금, 계약기관미수금, 개인미수금, 기타미수금

(3) 미수금 발생원인 및 관리방법

① 발생원인

A. 진료비부담능력이 없어서 부득이하게 발생되는 일반적인 경우

B. 민간보험에 가입되어 있거나 환자 측의 소속 직장에서 진료비를 부담해주는 경우

C. 관련회사와 병원 간에 후불계약이 체결되어 미수금이 발생하는 경우

의료기관은 의료법에 의하여 내원환자의 지불능력과는 상관없이 의료서비스를 제공하여야 하며, 그 결과 보험자나 환자본인의 재정적으로 지불능력을 벗어나는 진료비의 경우 불량미수금으로 남을 가능성이 높다.

② 관리의 필요성

병원의 미수금은 재무관리 측면에서도 병원의 안정적 운영 뿐 아니라 합리적 투자에 필요한 자금을 확보하는 것이 중요하다.

③ 관리방법

A. 모든 미수금은 지속적으로 비용을 발생시키는 악화요인이라는 사실을 염두에 두고 최대한 빨리 회수하는 노력을 기울여야 함

B. 정당하게 확보되어야 할 진료미수금이 누락되거나 환수되지 않도록 진료비청구를 중심으로 한 업무절차를 효과적으로 구축하는 것 필요. 보험자 미수금의 청구누락을 방지하기 위해 발생건수와 청구건수를 비교하여 누락여부를 확인하는 동시에 발생액과 청구액 및 조정액의 차이가 발생하는 원인을 확인하며 처방누락 또는 삭감 사례를 상세하게 분석한 결과에 따라 의료진에 대한 안내와 교육을 강화하는 노력이 필요

(4) 개인 미수금 회수를 위한 조치

소정의 결재절차를 거쳐 미수금 발생이 확정되면 지불보증서 등 채권확보 서류와 진료비계산서 등 개인미수금 관리 파일을 비치, 보관하여 약속한 기일 내에 납부하지 않으면 채무자에게 독촉하여야 한다.

종류	설명
전화독촉	· 지불각서의 내용대로 이행하지 않으며 우선 전화로 사유를 파악 · 재차 납부를 독촉하며 채무자의 형편을 고려하여 납부기일이나 분납금액을 약정 가능 · 필요하면 추가로 각서나 보증을 요구
서면독촉	· 전화 독촉으로 약속을 이행하지 아니할 때 독촉장을 발송 · 독촉장 내용은 단계별로 내용을 달리하여 약속을 이행하지 않으면 계속하여 간격을 두고 발송

가정방문 독촉	· 수차에 걸쳐 전화 또는 서면 독촉을 하였으나 이에 응하지 않는 채무자의 주소지에 출장 방문 · 가정환경, 생활 상태를 조사하고 추가 지불각서를 징수

(5) 미수금 관리 흐름

① 외래 원무부서와 입원 원무부서의 수납담당자가 미수금을 발생시켜 미수담당자에게 이관

② 미수담당자는 미수채권을 거래처나 청구처를 분류하고 관리 대장에 기록 후 해당기관이나 채무자에게 청구

③ 미수금을 회수하면 미수금 관리대장의 해당계정에 정확한 내역을 정리

④ 회계기준에 따라 작성한 수입일보 또는 대체일보(전표)를 경리부서에 통보

3) 응급실 업무

(1) 응급실 원무부서 업무 개요

① 응급센터를 방문하는 환자의 접수, 관리 및 진료비계산

② 입 · 퇴원 수속 뿐 아니라 야간이나 공휴일 등 주간에 발생되는 원무행정과 관련된 모든 업무

(2) 접수

응급실 내원환자는 의학적 판단에 따라 즉시 치료에 들어갈 수 있도록 하고, 보호자로 하여금 추후 진료접수를 하도록 한다.

접수 업무 종류	설명
상병원인 파악	· 상병원인에 따라 적용할 수가기준이 다르고, 진료방향에도 영향을 줄 수 있으므로 환자 및 동행자로부터 정확한 내용을 확인 후 기록을 반드시 남긴다.

무연고자 관리	· 보호자가 파악되지 않은 상태에서 후송되어 온 환자는 동행한 사람이나 병원으로 데려온 사람의 차량번호나 인적사항을 파악해야한다. · 경찰이나 119구급대가 이송한 경우에는 '응급행려환자의뢰서'를 수령한다. · 환자가 인계되어 진료가 시작되면 응급실 담당자는 연고지파악을 위해 다각도로 노력하고 최종적으로 연고가 없는 환자로 판단되는 경우에는 관할 시·군·구에 의료급여 대상자지정을 요청하여 진료비를 회수한다.
보호자 없는 무의식환자 관리	· 보호자 없는 무의식환자 내원시 이송자 도는 간호사, 직원 등 여러 사람이 환자의 인적사항을 파악하기 위해 소지품을 정리한다. · 분실사고를 대비해 소지품목록을 작성하여 기록을 남겨두고 신분증이 있을 때는 즉시 보호자에게 연락을 취한다.

(3) 응급 재원환자관리

① 발생하는 진료비를 정확히 관리하기 위해서 처방전을 사용하는 경우는 발행된 처방전을 환자별로 구분하여 보관한다.

② 건강보험증 없이 내원한 환자나 교통사고, 작업장 사고 또는 상해 등의 이유로 내원한 경우는 접수가 끝나는 대로 보호자를 포함한 보증인으로 하여금 진료비 지불 보증서를 작성하게 한다.

③ 진료비의 신속한 산정이나 누락을 방지하기 위해 OCS환경이 구축된 병원은 제공된 진료서비스의 내역이 빠짐없이 전산입력 될 수 있도록 한다.

(4) 퇴실관리

① 치료가 종결 환자의 경우에는 진료비를 산정하여 본인부담금을 수납하면서 건강보험증을 반환하고 퇴원약과 외래예약 및 재가요양에 관한 주의사항 등을 전달하고 귀가 조치

② 다른 기관으로의 이송하는 환자의 경우 해당 병원의 수용 가능성 등을 파악한 후 "응급환자진료의뢰서"를 작성하여 환자와 함께 이송

③ 입원이 결정된 환자의 응급진료비는 입원진료비 계산에 합산할 수 있도록 입원분야로 이관하고 병실로 이동시키며 사망환자는 귀가 조치하거나 영안실로 이송

4) 원무통계 분석

원무통계는 병원운영에 따른 실적에 파악하기 위함과 외부 관계기관에의 요청

자료제공을 목적으로 한다. 세부적으로 아래와 같이 구분할 수 있다.

종류	설명
진료실적 분석	외래환자통계는 외래 진료환자에 대한 통계로서 병원전체의 통합적인 환자 수보다는 각 진료과별 환자수를 기준 또한 입원환자통계는 병원에 입원하여 진료를 받는 환자를 집계한 것으로 실 입·퇴원과 재원환자를 기준
진료수익 분석	진료수익 분석은 경영분석의 일부로서 크게 외래수익과 입원수익으로 구분하며, 다시 보험유형별, 진료과별, 수가 항목별로 구분하여 집계 진료수익분석시 주의해야 할 점은 현금주의나 발생주의를 사용할 수 있는데 항상 일관성 있게 적용하여야 하며, 통계 분석은 시점에 따라 일별 · 월별 · 분기별 · 반기별 · 연별로 실시

기출 문제

01 병원 내의 모든 기능부분을 정보처리, 정보전달을 통해 결합하므로 종합적인 기능이 발휘되도록 연결기능을 수행하는 한편, 각 기능의 업무가 합리적으로 수행되어 사무 능률이 향상되도록 계획하고 통제하는 활동은 무엇인가?

① 환자관리
② 물자관리
③ 원무관리
④ 구매관리

정답 3

광의의 원무관리는 병원 내의 모든 기능부분을 정보처리, 정보전달을 통해 결합하므로 종합적인 기능이 발휘되도록 연결기능을 수행하는 한편, 각 기능의 업무가 합리적으로 수행되어 사무능률이 향상되도록 계획하고 통제하는 활동이다.

---

02 원무관리가 발전된 배경이 아닌 것은?

① 병원 규모의 확대
② 의료보장의 확대
③ 의료기술의 발전
④ 고객의 동일한 욕구

정답 4

원무관리가 발전된 배경은 병원규모의 확대, 의료보장의 확대, 의료기술의 발전, 고객의 요구변화, 의료정보기술의 발전 때문이다.

기출 문제

03 건강보험 적용대상자로 맞는 것은?

① 대한민국 국적의 국민이며 건강보험에 가입되어 있는 자
② 해외에 거주하는 대한민국 국적의 국민
③ 해외에 거주하는 외국인
④ 국내에 일시적으로 방문한 외국인

정답 1

건강보험 적용대상자는 국내에 거주하는 국민으로서 건강보험적용을 받지 아니한 자를 제외하고는 건강보험의 가입자(직장, 지역) 또는 피부양자(직장가입자에 의하여 주로 생계를 유지하는 자)가 된다.

04 건강보험 보험금 지급을 받을 수 있는 상황은?

① 고의 또한 중대한 과시로 인한 범죄행위에 기인하거나 고의로 사고를 발생시킨 때
② 고의 또는 중대한 과실로 공단이나 요양기관의 요양에 관한 지시에 따르지 아니한 때
③ 사소한 과실로 문서 기타 물건의 제출을 거부하거나 질문 또는 진단을 기피한 때
④ 업무상 또는 공무상 질병・부상・재해로 인하여 다른 법령에 의한 보험급여나 보상 또는 보상을 받게 되는 때

정답 3

고의 또는 중대한 과실로 문서 기타 물건의 제출을 거부하거나 질문 또는 진단을 기피한 때는 건강보험금 지급을 받을 수 없다.

기출 문제

05

퇴원 시 일반 환자에 해당하는 사람이 아닌 사람은 누구인가?

① 건강보험미가입자(내국인)

② 건강보험미가입 외국인

③ 비급여대상자(국민건강보험법 제39조1항에 의한 요양급여를 함에 있어 업무 또는 일상생활에 지장이 없는 질환 등)

④ 산재보험환자

정답 4

산재보험환자는 일반환자가 아니라 산재보험환자로 별도 분류한다.

CHAPTER

인사관리

Dental Management Officer

인사관리

Dental Management Officer

09

인사 관리를 간단히 표현하면 '사람을 관리하는 방식'이라고 볼 수 있다. 사람을 관리하는 일련의 프로세스는 우선 관리자 또는 인사 관리자가 직무를 분석, 설계하고, 직무에 적합한 인력을 모집, 선발 및 배치하는 것에서 시작된다. 조직 구성원이 자신의 직무에 대해 잘 모르거나 직무 능력이 부족한 점이 있으면 교육과 훈련을 통해 이를 보완할 수 있도록 지원하는 것도 인사관리의 중요한 업무이다. 그리고 일정 기간이 지나면 업적과 태도 평가를 통해 우수한 업적을 가진 사람에게는 인센티브를 주고, 업적이 미흡한 사람에게는 재교육을 부여하거나 불이익을 주어야 한다.

또한 승진, 직무 순환, 징계, 임금 조정, 복리후생 프로그램 운영 등을 통해 구성원들이 조직과 업무에 집중할 수 있도록 주의를 기울여야 한다. 또한 조직의 원활한 운영을 위해 구성원 간 갈등을 조정하고 의사소통을 원활하게 하며 동기 부여 대책을 찾아 제공해야 한다. 노사 관계가 원활하게 진행될 수 있도록 정보 제공과 상호 협력을 지원하는 것도 인사관리의 중요한 몫이다.

병원 인사 관리는 병원 조직의 목적을 달성하는 데 필요한 인적 자원과 조직 활동에 유용한 훈련 및 교육 과정을 통해 동기를 부여하고 유지하는 일련의 프로세스라고 할 수 있다. 즉, 병원 인력 확보, 개발, 보상, 동기 부여 및 유지의 기능을 지속적으로 수행하는 일련의 프로세스이다.

1. 인적자원의 확보

1) 직무분석

(1) 의의 및 중요성

직무 분석은 직무 관련 정보를 수집하고 수집된 정보를 분석하여 직무 내용을 파악한 후 각 부문의 성과에 필요한 지식, 역량, 기술, 책임 등의 요구 사항을 명확히 하는 일련의 과정이다. 직무 평가와 함께 직무 분석은 확보, 평가, 개발, 보상, 유지 등 모든 인적 자원 관리 활동의 출발점이자 기반이 된다. 직무 분석 결과 직무 정보를 정리한 후 문서를 직무기술서라고 한다. 직무명세서는 인적 자원 관리의 특정 목적을 고려하여 직무 수행에 필요한 인적 요구 사항을 세분화하여 설명하는 문서이다.

(2) 직무분석을 위한 직무정보 수집 방법

직무 분석을 위해서는 먼저 직무 정보를 수집해야 한다. 이러한 방법에는 설문지 방법, 관찰 방법, 인터뷰 방법 및 기록 방법이 포함된다.

설문지 방법은 가장 많이 사용되는 정보 수집 방법이다. 직원과 감독자 모두에게 구조화된 설문지를 배포하고 자신의 직무에 대해 설명하도록 하여 정보를 얻는 방법이다. 관찰 방법은 직원이 업무를 수행하는 과정을 관찰하고 그들이 무엇을 하고 있는지, 그것을 하는 데 얼마의 시간이 걸리는지를 기록하는 방법이다. 인터뷰 방법은 직원을 대상으로 직무 수행에 필요한 지식, 기술 및 능력을 직접 인터뷰하고 내용을 기록하는 방법이다. 인터뷰 수행자는 사전에 준비된 질문을 하고 필요한 경우 직원의 답변에 대응해 질문을 수정할 수 있다. 정보를 효율적으로 수집하기 위해 표준화된 인터뷰 양식이 널리 사용된다. 기록 방식은 직원이 일기를 쓰는 것처럼 업무 활동에 대해 기록한 업무 일지를 수집하여 직무 분석 정보를 얻는 방법이다.

(3) 직무기술서와 직무명세서

① 직무기술서(job description)

직무 기술서는 직무 분석 결과를 바탕으로 직무 수행과 관련된 업무 및 직무를 일정한 형태로 기술하는 문서이다. 직무 기술서는 하나의 직무와 다른 직무를 구분하고 직무의 유형, 중요성, 난이도를 정확하게 표시하여 현실에 적용할 수 있도록 명확하게 임무를 표시해야 한다. 직무 기술서에 포함되는 내용은 성명, 소속, 근로자 수 등 직무 확인 항목과 직무 내용, 직무 요건 등이다. 이 과정에서 분석가의 의견이나 주관적인 내용은 배제되어야 하며 분석 목적에 비추어 사용하기 쉬운 형식으로 제공되어야 한다.

② 직무명세서(job specification)

직무 명세서란 직무 분석 결과를 바탕으로 직무 수행에 필요한 직원의 행동,

기술, 능력, 지식을 일정한 형태로 기록한 문서를 말한다. 직무 명세서에서는 직무 기술서의 내용에서 직무 상 요건 사항을 분리하여 직무의 성공적 수행에 요구되는 인적 요건을 상세하게 기술한다.

(4) 직무평가

① 직무평가의 요소

직무 평가의 주된 목적은 조직 내에서 합리적인 임금 격차를 유지하는 것에 있다.

② 직무평가 방법

A. 서열법(ranking method)

서열법은 직무가 기록된 각 카드를 보고 직무의 가치를 종합적으로 평가하여 그 사이의 순위를 결정하는 것이다. 평가 결과는 여러명의 평가위원이 매긴 서열을 평균값으로 매긴다. 이 방법은 직무 간의 차이가 분명하거나 평가자가 모든 작업에 익숙한 경우에만 적용할 수 있다. 그리고 직무에 대한 빠른 상대평가는 가능하지만, 대신 직무가 많고 복잡할 경우 효과적이지 않다. 따라서 주로 소규모 조직에서 사용된다.

B. 직무분류법(job classification method)

직무분류법은 서열법을 한 단계 발전시킨 것이다. 서열법이 직무 간의 상대적 순위를 매기는 반면 직무분류법은 직무에 등급을 매기는 것에서 시작한다. 미리 직무 등급 체계를 설계한 뒤에 직무를 관찰하며 각 등급에 배치하는 것이다. 즉, 서열법은 모든 단일 직무를 비교 평가하는 반면 직무분류법은 상대적으로 유사하거나 동질적인 직무를 동일한 등급으로 그룹화하여 평가한다는 점에서 다르다.

C. 점수법(point rating method)

점수법은 기술(교육, 지식, 경험, 판단 등), 노력(특정 노력, 창의성, 기타 정신적 긴장 등), 책임(감독 책임, 시설 책임, 원자재 책임 등), 근로 조건(위험도, 작업 환경 등)의 평가 요소로 직무를 평가하고 각각의 평가 요소에 대해 가중치를 매긴 뒤 이를 가중평균한 값으로 직무의 가치를 평가하는 것이다. 예를 들어 기술 40%, 노력 10%, 책임

30%, 근무 조건 20% 등의 가중치를 부여하고 각각의 항목에 대한 평가 점수를 가중치를 고려하여 평균하는 것이다.

D. 요소비교법(factor comparisons method)

요소비교법은 조직 내에서 몇 가지 핵심 직무를 선택하고 각 직무의 평가 요소(예 : 기술, 노력, 책임, 직무 조건 등)를 기준 직무의 평가 요소와 비교하여 모든 직무의 상대적 가치 결정하는 것이다. 기준 직무를 선정할 때는 조직의 목표 달성과 관련하여 중요하고 필수적인 직무를 먼저 고려해야 한다.

요소비교법은 직무의 상대적 가치를 임금으로 평가하는 것이 특징이며, 기능직, 사무직, 기술직, 감독직 등 다양한 직종에 사용할 수 있다. 우선 기준 직무의 현재 임금을 평가요소에 따라 배분한다. 그리고 기준 직무와 다른 직무를 평가요소별로 비교하여 요소별로 직무 가치 순위를 매기고 이를 기반으로 요소별 세부 임금 수준을 결정한 뒤에 세부 요소의 임금을 합쳐 해당 직무의 임금을 산정하는 것이다. 이 방법은 병원에서 임금 수준의 적정성 검토나 직무급 설계 시 유용하게 활용할 수 있다.

2) 인력계획

병원의 인력 계획은 병원이 현재와 미래의 소요 인력 유형별 인력 수를 예측하고, 병원 내부, 외부로부터의 인력 수급 계획을 수립, 조정하는 활동이다. 인력 계획은 인적자원 계획, 정원 계획이라고도 한다.

인력 관리는 경영활동을 효율적으로 수행하고 노동력을 경제적으로 활용하기 위해 각 단위 조직 또는 업무에 필요한 인원을 결정, 유지, 운영, 통제하는 활동을 말한다. 즉, 경영 생산성 향상, 인건비 절감, 선발 계획 등을 위해 단위 조직별, 직무별, 직종별 적정 인원수를 산출하고 외부, 내부 환경 변화에 따라 적정 인원수를 조정하는 활동이다. 정원은 현재 조직 구조, 설비 및 작업 방법에 기반하여 조직이 필요한 작업을 가장 효율적으로 수행하기 위해 필요한 인원 수를 의미한다.

의료기관의 경우 의료법 또는 관련법에 따라 법정 정원 및 설비 정원이 있다. 설비 정원은 병원의 시설의 규모, 수준, 수량에 따라 결정되는 인원수를 말한다. 예를 들어, 새로운 MRI 장비가 방사선과에 도입 될 경우 추가 인력을 배정해야 한다. 일반 조직과 달리 법으로 병원의 정원이 결정되는 이유는 병원 조직의 사명이 인간의 생명을 다루는 것과 관련이 있기 때문이다.

3) 채용

직무 분석과 설계가 제대로 이루어지고 나면 채용을 하게 된다. 채용 관리는 인적 자원 확보 계획에 따라 적절한 채용 인력 수를 산출하고 적절한 시기에 모집, 선발, 배치 등에 대한 의사 결정 과정을 하는 것을 의미한다.

(1) 모집

모집은 신입 사원의 평균 자격 수준에 영향을 미친다. 모집 실수로 지원자가 적은 경우 선발 수준을 낮추어야 하므로 향후 신입 사원 교육 및 훈련에 많은 비용을 투자해야 한다. 모집 시점에 부적합한 인력만 모이면 병원은 그 중에서 우수한 인재를 채용하기 위해 많은 선발 노력을 기울여야하고, 채용 비용과 시간이 더 많이 투자되어 결국 유능한 인재를 선택하기가 어려워진다. 좋은 인력을 선발하기 위해서는 효율적인 모집이 선행되어야 하며 이를 위해서는 모집 방법과 절차가 적절해야 한다.

모집에는 내부 모집과 외부 모집의 두 가지 유형이 있다. 내부 모집은 회사의 정보 네트워크를 활용한 사내공모제도가 대표적이다. 사내공모제도는 공석 발생시 사내 게시판에 모집 공고를 게시하여 자격 요건을 갖추었다고 판단되는 직원을 발굴하는 방식으로서 현장 근로자보다 사무직에 더 적합하다. 외부 채용 방식은 광고, 인턴십, 교육 훈련 기관(학교 및 대학) 추천, 직업소개기관, 직원 추천 등을 통해 모집하는 것을 말한다.

(2) 선발

잘못된 모집을 통한 인력의 선발을 입사 후에 바로 잡는 것은 개인과 조직 모두에게 바람직하지 않다. 따라서 처음부터 재능 있는 사람을 선발해야 한다. 선발 기준은 주로 직무 명세서, 직무 기술서 등에 기재되어 있는 사항을 기준으로 ① 지적 조건(기본 자격), ② 인성 조건(기본 인품), ③ 신체 조건(직무 수행에 필요한 신체 건강 · 능력) 등을 포함하게 된다. 지원자의 선발 기준 충족 여부를 확인하기 위해 필기 시험에서는 주로 지적 조건을 검증하고 면접 시험에서는 지적 조건, 인성 조건, 신체 조건을 종합적으로 검증한다. 선발 절차는 합리적인 인재 선발을 위해 지원자 정보를 얻는 과정이자 수단이다. 일반적으로 선발 절차는 예비 면접→서류 전형→선발 시험→선발 면접→경력 · 평판 조회→신체 검사→선발 결정 순으로 진행된다.

(3) 배치

일련의 채용 과정을 통해 선발된 신입 사원은 일정 기간 오리엔테이션을 받은 후 직무에 배치된다. 배치는 조직의 직위 · 직무에 가장 적합한 직원을 찾아 위치시키는 프로세스이다. 즉, 기술, 지성, 경험, 연령, 직무 임금, 조건, 권한, 책임 등을 고려하여 선발된 인력을 가장 적합한 직무에 배정하는 것을 말한다. 적절한 배치는 조직의 목표 달성뿐만 아니라 개인의 자기 계발에도 중요하다. 단순히 빈 자리를 채우는 것보다 직무에 가장 적합한 인력을 확보해 직무를 수행하게 하는 것이 배치의 본질이다.

2. 인적자원의 개발

1) 교육훈련

(1) 의의

최근 직원들의 교육 훈련은 단순한 비용이 드는 일이 아니라 전체 조직에 이익을 가져다주는 투자로 간주되고 있다. 기업들이 교육 훈련 유지 및 강화를 위해 노력하고 있다는 것이다. 교육과 훈련 주제도 변화하고 있다. 과거 병원은 주로 중간 관리자 이상의 직급을 중심으로 교육 훈련을 실시했지만 최근에는 관리자가 아닌 일반 직원의 교육 훈련 비율이 높아지고 있다. 병원 간의 치열한 경쟁과 급변하는 경영 환경 속에서 직원 교육 훈련은 병원 경쟁력을 유지하고 향상시키는 전략적 투자로 인식되고 있으며 그 중요성이 커지고 있다.

(2) 장소에 따른 교육훈련

① OJT(on the job training)

OJT는 직업 훈련, 현장 훈련 또는 견습이라고도 불린다. OJT는 훈련생이 실제 업무를 수행하면서 감독자 또는 선배로부터 직무 수행에 대한 지식과 기술을 배우는 것을 의미한다. 현장 훈련 방법 중 지도가 훈련의 핵심이며 훈련 결과는 감독자의 지도와 기술에 크게 좌우된다. 따라서 OJT는 조직의 모든 단위 조직에서 쉽게 수행 할 수 있는 가장 일반적인 직업 훈련 형태라고 할 수 있다. OJT에는 직업 교육 훈련, 인턴십 및 멘토링 등이 포함된다. OJT는 급변하는 오늘날의 조직 환경에서 직원들이 업무에 효과적으로 적응하고 도전하는 데 효과적인 교육방식으로 각광받고 있다.

② Off-JT(off the job training)

Off-JT는 직원을 업무를 수행하는 장소에서 시간적, 공간적으로 고립된 공간(예: 연수원, 전문 아카데미)으로 이동시키고 내외부 전문가를 초청하여 집중적으로 교육 훈련을 진행하는 방식이다. OJT의 진행 유형으로 세미나, 컨퍼런스, 컴퓨터 기반 교육, 시뮬레이션, 비디오 교육, 감성 교육 등이 있다. Off-JT는 현장에서 일하는 것과 직접적으로 관련이 없는 일반적인 역량이나 스킬 교육에 적합하다. 장점은 다음과 같다. ① 현장 교육의 단점을 보완 할 수 있으며, 특히 전문성을 갖춘 전문가가 체계적이고 심도있는 교육을 받을 수 있다. ② 교육 훈련 내용의 통합이 용이하다. ③ 근로자는 일의 부담이 없는 상태에서 훈련에만 집중할 수 있다. 단점을 보면, ① 교육을 받지 않는 잔류 직원의 업무 부담이 커진다. ② 조직이나 개인의 경제적 부담이 커진다. ③ 교육 훈련 결과를 현장에서 즉시 활용하기 어렵다.

(3) 대상자에 따른 교육훈련

① 신입사원 대상(orientation training)

신입 사원 교육 훈련은 신입 사원에게 조직에 대한 첫인상을 만들어주는 오리엔테이션으로 볼 수 있다. 세부적인 실행 계획이 필요하며, 조직의 개요를 학습시키거나 조직의 구성원으로서 인식을 고취시키는 내용으로 구성된다. 오리엔테이션과 함께 기초적인 실무 스킬 교육이 병행되기도 한다.

② 재직자훈련(refresh and extension course)

재직자 훈련(보수교육)은 재직자에게 새로운 지식이나 새로운 규칙 또는 법률의 내용을 습득시키기 위해 정기적으로 또는 수시로 실시하는 교육을 의미한다. 재직자 훈련의 목적은 재직자에게 새로운 환경에 대응할 수 있는 새로운 지식과 기술을 제공하고 새로운 법규의 내용을 학습시켜 업무의 생산성을 높이는 데 있다.

③ 감독자훈련(supervisory training)

한 명 이상의 부하 직원의 성과를 지휘하고 책임을 지거나 미래에 감독자가 될 잠재력이 있는 감독자를 대상으로 인간 관계 개선에 초점을 두고 실시하는 교육이다. 병원의 감독자 교육 및 훈련은 병원의 관리자, 팀장 및 부문별 관리자를 대상으로 실시된다. 이들은 자신의 업무를 수행하면서 조직 상위 직급자와 하위 직급자 사이의 다리 역할을 담당하기 때문에 업무와 관련된 전문 지식과 리더십을 함양하는 것이 필요하다.

④ 관리자훈련(executive training)

최고경영진, 간부, 고위직에 승진할 직원이 계획, 조직화, 지휘, 조정 및 조정 및 통제활동을 수행하는 데 도움이 될 수 있도록 사회 각 분야에 대한 넓은 시야와 식견, 고도의 관리능력, 문제해결능력 내지 종합적인 판단능력을 제공하는 교육훈련이다.

(4) 교육방법에 따른 교육훈련

교육 방식에 따른 교육 훈련에는 강의, 시청각 교육(TV, 영화, 비디오, 슬라이드 등), 토론・회의 방식, 시뮬레이션, 사례 연구, 멘토링, 롤 플레잉 등이 있다.

2) 경력개발

(1) 경력개발의 중요성

경력은 일생 동안 일과 관련하여 개인이 얻는 경험을 의미한다. 특정 조직에서 일시적으로 일하거나 특정 직위에서 특정 직무를 수행하는 것은 경력을 만드는 과정으로 볼 수 있다. 경력은 직업과 관련된 개인의 전반적인 이력으로서 개인 차원에서 중요한 관심사가 된다. 따라서 사람들은 자신의 다양한 욕구를 충족시키기 위해 경력 계획을 수립하고 이를 달성하기 위해 경력 관리를 수행한다. 직원의 경력은 조직에서 관리해야 할 주요 사항이다. 이는 조직이 향후 추구하는 비전과 목표를 설정하고 이를 실현하기 위해서 필요하다.

(2) 경력관리의 요소

개인의 경력 계획과 조직의 경력 관리 활동을 연결하여 개인의 경력 개발을 돕는 계획을 경력 개발 계획 또는 경력 개발 프로그램(Career Development Program, CDP)이라고 한다. 경력 개발 프로그램은 경력 목표, 경력 계획 및 경력 개발 요소의 세 가지 요소로 구성된다. 첫째, 경력 목표는 개인이 자신의 경력에서 도달하고자 하는 미래의 위치라고 할 수 있다. 또는 개인이 달성하고자 하는 성공 목표를 의미하기도 한다. 둘째, 경력 계획은 경력 목표를 설정하고, 경력 목표를 달성하기 위한 경력 경로를 구체적으로 설계하는 프로그램을 말한다. 셋째, 경력 개발이란 개인이나 단체가 실제로 참여하여 개인의 경력 계획을 달성하는 활동을 말한다.

조직 내 개인은 경력 계획 프로세스를 통해 자신의 경력 목표와 경력 경로를 알 수 있다. 그리고 경력 개발의 활동을 통해 자신을 개발하고 경력 목표 달성 촉진하는 방법을 발견하게 된다. 목표와 실제 활동 사이에서 오차가 발생할 경우 피드백 프로세스를 거쳐 경력 계획과 경력 개발 활동 내용은 수정될 수 있다.

3. 인적자원의 평가

1) 인사평가의 의의

(1) 인사평가의 정의 및 목적

인사 고과 또는 인사 평가는 조직이 직원의 직무 상 업적, 직원의 역량, 직원의 태도와 성격 등을 측정하는 활동이다. 일정 기간 직원의 업적, 현재의 능력, 잠재력, 태도, 가치를 측정하고 평가 결과에 따라 조직은 보상, 교육 훈련, 전환 등의 대책을 강구한다. 과거에는 과거의 성과나 개인적 특성에 따라 우열을 가려 인사 평가를 하였으나 현대에는 각 직무 담당자의 성과, 잠재력과 역량 개발 가능성을 종합적으로 측정, 평가함으로써 조직 구성원에게 동기를 부여하고 조직 목표 달성을 위한 종합 통제의 과정으로 평가 결과를 활용하고 있다. 인사 평가의 목적은 직원의 가치를 객관적이고 정확하게 측정하여 합리적 인사 관리의 기반을 제공하고 직원의 노동 생산성을 높이고 동기를 부여하는 것이다.

(2) 인사평가 주체

현대 조직의 업무가 점점 복잡해지고 조직 구조가 수평화, 복잡화되면서 상급자가 혼자서 하급자를 제대로 평가하기 어려워졌다. 따라서 상급자 평가와 더불어 부하 직원 평가, 동료 평가, 고객 또는 외부 전문가 평가, 자기 평가로 평가 주체가 확장되는 추세이다.

다면 평가는 피평가자 자신, 직속 상사, 부하 직원, 동료, 심지어 피평가자의 고객까지 평가 주체에 포함시키는 것으로 360도 평가라고도 한다. 다면 평가의 목적은 다양한 관점에서 피평가자의 행동을 평가하여 평가의 타당성을 확보하는 것이다. 즉, 한 사람보다 여러 사람이 평가할 때 오류가 발생할 가능성이 적다는 전제를 갖고 있다. 평가 대상을 직접 경험하거나 관찰할 수 있는 많은 사람들로부터 피평가자의 장단점을 수집하여 당사자에게 알리면 피평가자의 자기 계발에도 도움이 될 수 있고 정확한 평가가 가능해진다는 것이 다면평가의 장점이다.

2) 인사평가 방법

(1) 전통적 평가방법

① 서열법(순위법, ranking method)

피평가자의 업무 태도 또는 능력을 평가하여 순위를 매기는 방법이다. 순위법이라고도 한다. 서열법은 보상 차등 지급이 필요할 때 유용하다. 성과가 정량화되지 않기 때문에 직원 성과의 양적 차이는 드러나지 않고 직원 간 순위만 표시된다. 서열법의 장점은 관대화 경향이나 중심화 경향과 같은 오류를 방지할 수 있으며 간단하고 실행하기 쉽고 비용이 저렴하다는 것이다. 반면에 같은 직무에만 적용 할 수 있고 부서 간 상호 비교가 불가능하고 평가자가 너무 많으면 순위 부여가 어렵고 너무 적으면 평가가 무의미하다는 단점이 있다.

② 평가척도법(rating scale method)

평가 척도 방법은 가장 오래되고 가장 널리 사용되는 평가 방법이다. 여러 가지 평가 요소(업무 실적, 직무 수행 능력, 직무 수행 태도 등)를 설정하고 요소별 평가 결과를 수치나 문자등급으로 변환시키는 방법이다. 미국 기업의 90%가 이 방법을 사용한다고 알려져 있다. 평가 척도 방법에는 단계식 평가척도법과 도식평가척도법의 두 가지 유형이 있다. 단계별 평가척도 방법은 평가 요인의 척도를 여러 등급으로 나누고 등급별로 A, B, C, D, 또는 1, 2, 3, 4, 5와 같은 평가 기준을 설정하는 것이다. 이를 비연속적 척도법이라고도 한다. 도식평가척도법은 각 평가 요소에 대해 연속적인 척도를 제공하여 조직 구성원의 특성과 직무 성과에 나타난 성과 정도에 따라 척도 상의 임의의 지점에 평가 결과를 표시하는 것이다.

③ 체크리스트법(대조표법, checklist method)

체크리스트 방식은 평가 요소를 대표하는 직무와 관련된 여러 가지 구체적인 사례를 제시하고, 피평가자의 행동으로 간주되는 것을 표시하고, 체크 횟수와 가중치를 고려하여 채점하고 평가하는 방법이다.

④ 강제배분법(강제할당법, forced distribution method)

강제배분법은 평가 오류로 인한 집중화, 관대화 경향의 문제를 방지하기 위해 점수를 강제로 배분하는 방식이다 A(10 %), B(20 %), C(40 %), D(20 %), F(10 %) 학점으로 학생의 학점을 강제 할당하는 것이 대표적인 강제배분법의 사례이다. 이 방식의 장점은 집중화, 관대화 경향의 폐해를 막을 수 있다는 것이나 평가자 수가 적고 평가자 중 뛰어난 사람이 없어도 강제 배분에 인해 최고 등급으로 평가되는 사람이 무조건 생긴다는 단점이 있다.

(2) 현대적 평가방법

① 중요사건서술법(critical incident appraisal method)

중요사건서술법은 평소에 부서에서 발생한 주요 사건에서 피평가자가 보여 준 주요 조치나 행위를 기록하였다가 평가 시에 근거로 활용하는 방법이다.

② MBO(목표관리법, management by objectives)

피터 드러커를 중심으로 개발된 목표 관리법은 평가자와 피평가자가 평가 과정에 참여하여 성과 목표를 설정하고, 업무 수행 결과의 목표 대비 실적치를 기말에 평가하는 것이다. 이 과정을 통해 당기의 성과를 평가하고 다음 기의 성과 목표를 설정한다. MBO에서 가장 중요한 것은 목표 달성 정도에 대한 평가 과정 및 평가 이후의 자세한 피드백이다.

이 피드백을 통해 피평가자는 자신에 대한 평가 결과를 수용할 수 있게 되고 향후 업무 목표 설정과 성과 증진에 필요한 구체적인 데이터를 얻게 된다. MBO의 중요한 특징은 목표 설정에 감독자와 직원이 모두 참여하고 설정된 기간이 끝났을 때 진행되는 성과 평가에 공동으로 참여한다는 것이다. 목표

관리법은 직원의 자율성이 강조되는 전문직, 영업직, 경영지원직 등의 평가에 유용하지만 모든 직무에 일괄적으로 적용하기는 어렵다.

③ 행위기준평가법(behavioral anchored rating scale, BARS)

행위기반 평가법은 최근 주목을 받고있는 평가 방법이다. 이 평가 방법은 도표식 평가척도법이 갖는 평가요소 및 등급의 모호성, 주관적 판단 개입, 그리고 중요사건 서술법이 갖는 상호비교의 곤란성을 해결하기 위해 도표식평가법과 중요 사건 서술법을 결합한 것이다. 주관적 판단을 배제하기 위해 직무분석을 기반으로 직무와 관련된 중요 업무를 선정하고, 각 업무 분야별로 가장 이상적인 직무 수행 행동부터 가장 바람직하지 못한 행동까지 여러 등급으로 나누어 각 등급별로 중요 행동에 대해 명확하게 설명하고 점수를 부여한다. 평가 척도의 내용은 중요사건 서술법에서 기술된 내용을 토대로 하여 업무 수행 담당자와 관리자가 공동 참여하여 설계한다.

3) 인사평가의 오류가 개선방안

(1) 인사평가의 오류

① 후광효과(연쇄효과, 현혹효과, halo effect)

전반적인 인상이나 특정한 요소로부터 받은 인상에 의하여 평가대상을 평가하려는 경향이다. 즉, 직원의 특정 평가 요소가 매우 좋거나 나쁠 경우 해당 평가 요소의 등급이 다른 요소의 평가에 영향을 주는 것을 말한다.

② 중심화 경향(central tendency)

중심화 경향은 평가자가 모든 피평가자에게 중간 수준의 점수를 부여하는 심리적 경향이다.

③ 관대화 경향(tendency of leniency)

평가자가 의도적으로 피평가자를 실제 능력이나 성과보다 더 관대하게 평가하는 경향을 나타낸다. 관대화 경향은 부하 직원이 다른 부서의 직원보다 승진에 유리하게 만들고 싶을 때, 부하 직원과 대립할 필요가 없다고 생각할 때, 리더십 부족으로 오해받는 것을 회피하고 싶을 때 나타난다. 관대화 경향과는 달리 평가 점수를 낮게 주는 경향을 엄격성 또는 심각성 경향이라고 한다.

④ 상동적 오류(stereotyping)

상동성 오류는 특정 집단에 대한 평가자의 인식을 개인에 대한 평가에 투영하면서 공정한 평가를 하지 못하는 현상을 말한다. 예를 들어 평가자가 특정 종교, 정치, 사회 집단에 대해 나쁜 감정을 가지고 있을 때 여기에 속하는 평가자의 평가도 나쁘게 주는 경우가 있을 수 있다. 상동적 오류는 연령, 성별, 출신 지역 및 직업 측면에서 형성될 수 있다.

(2) 인사평가의 개선방안

첫째, 평가자 및 평가자 모두가 평가의 목적을 정확하게 이해할 수 있도록 인사평가의 목적을 명확히 설정해야 한다. 둘째, 평가 기준 및 평가 내용은 조직의 전략적 목표와 연결되어야 하며 직무 기준과도 관련되어야 한다. 평가 기준이나 내용이 전략적 목표와 연계되면 평가자와 피평가자는 조직이 추구하는 목표, 목표 달성에 중요한 행동과 성과를 자연스럽게 파악하면서 직무를 수행할 수 있기 때문이다. 셋째, 인사 평가의 공정성이 확보되어야 한다. 인사평가 방법은 업무의 특성과 평가 방법의 장단점을 고려하여 평가 목적에 부합하고 효과성과 효율성을 확보할 수 있도록 선정되어야 한다. 또한 선정된 인사 평가 방법은 공식적으로 조직에 공개된 후에 적용되어야 한다. 평가자는 객관성이 있는 유능한 사람으로 선정되어야 하며 평가자별 재량은 최소화되어야 한다. 또한 단일 평가자가 아닌 여러 평가자를 선택함으로써 평가의 신뢰성을 높일 수 있다. 넷째, 명확한 평가 근거를 확보해야 한다. 직원의 인사 평가 기록은 인사 평가 결과의 근거로 제시될 수 있도록 상세하게 정리되어야 하며, 성과와 무관한 기타 요인이 영향을 미치지 않아야 하고, 성과 기록은 정확하고 완전한 형태로 적절하게 보존 및 제시되어야 한다. 다섯째, 인사 평가 결과에 대한 피드백을 제공해야 한다. 인사평가에 대한 피드백은 인사 평가 프로세스를 완료하는 데 매우 중요한 과정이다. 인사관리자는 평가자의 피드백 능력을 향상시키기 위한 피드백 개선 교육 프로그램을 제공해야 한다. 또한 평가 결과가 나쁜 직원의 역량 강화를 위한 상담 제도와 역량개발 프로그램이 운영되어야 한다.

4. 인적자원의 보상

1) 임금관리

(1) 임금의 개념

직원들은 조직에 기여함으로써 조직으로부터 무언가를 얻는다. 여기에는 경제적 보상뿐만 아니라 승진, 칭찬, 인정, 삶의 안정과 같은 비경제적인 것도 포함된다. 개인이 조직으로부터 받는 보상에는 심리적 만족감도 포함되는 것이다. 그러나 인적 자원 관리에서 보상 관리는 고용 관계에 따라 직원이 조직으로부터 받는 금전적 보상 및 복리후생혜택을 의미한다.

보상에는 직접 보상인 임금와 간접 보상인 복리후생이 있다. 임금이 다양한 보상 유형의 대부분을 차지하기 때문에 '보상 관리'라는 개념은 '임금 관리'로 사용되기도 한다. 하지만 보상 관리는 임금 관리보다 더 포괄적인 개념이라고 볼 수 있다.

(2) 임금관리의 범위

임금은 병원 입장에서 원가의 구성 요소로 간주된다. 따라서 병원은 재료비, 경비와 같이 임금 지급총액을 줄이기 위해 노력한다. 반면, 종업원들은 생존과 더 나은 생활을 위해 임금 인상을 원한다. 임금 관리는 병원과 직원의 이해관계를 절충하면서 모두에게 만족을 주는 방향으로 진행되는 것이 좋다. 따라서 임금 수준의 적정성, 임금 체계의 공정성, 임금 형태의 합리성 측면에서 임금 관리 체계를 파악해야한다.

① 임금수준 관리(적정성)

임금 수준 관리는 동종 산업의 타 조직과 비교하여 너무 높지도 너무 낮지도 않은 적절한 임금수준을 유지하는 활동을 말한다. 적정 임금 수준은 근로자의 생계유지와 만족도, 조직의 지불 능력, 사회적 보상 수준 등을 고려하여 결정된다. 병원은 이러한 요소를 고려하여 병원에 가장 적합한 임금 수준을 유지해야 한다.

병원에서 지급하는 임금수준은 직원을 지속적으로 확보하고 유지하기 위해 절대적으로 필요한 최저 임금 수준, 장기간 지급하면 병원 자체의 생존을 위협할 수 있는 최고 임금 수준을 종합적으로 고려하여 단체 교섭과 판단을 통해 결정된다. 임금 수준은 병원의 지급 능력, 직원들의 인간다운 생활 유지가 가능한 사이에서 유지되어야 하며 타 병원의 임금 수준, 노동 수급 상황, 노사 관계 등의 요인 등도 임금 수준 결정 시 고려되어야 한다.

② 임금체계 관리

임금체계는 조직의 임금총액을 구성원들에게 어떻게 배분할 지를 결정하고 이를 배분하는 활동이다. 일반적으로 임금체계는 기본급체계를 말한다. 임금관리체계의 핵심적인 과제는 기본급을 기준을 설정하는 것이다. 수당은 정상근무수당과 특별근무수당으로 구분된다. 정상근무수당은 직무수당, 생활수당, 장려수당으로 구성되는며 기준임금에 포함된다. 특별근무수당은 특별근무와 관련된 수당으로서 기준 외 임금에 포함시킨다.

성과급은 개인의 연공, 직무, 능력 등의 요소가 복합적으로 반영되어 산정된다. 성과급은 변동성이 큰 인센티브의 성격을 갖는다. 따라서 일반적으로 기본급과 별도의 추가적인 급여로 제공되며 성과급만을 기본급으로 할 경우 종업원의 소득안정성이 위협받을 수도 있다.

기본급은 임금에서 가장 중요한 구성항목이다. 기본급은 정상근무수당과 함께 기준임금으로 분류되어 퇴직금과 상여금의 산정기준이 된다. 기본급의 결정기준에는 생계비, 근속연수, 업무의 가치, 업무수행능력 등이 있다. 기본급 설계 시 중점을 두는 포인트가 어디냐에 따라 연공급(연령, 근속연수), 직무급, 직능급으로 기본급 체계 유형이 구분된다.

A. 연공급

연공급은 개인의 근속연수와 개인의 업적, 성과, 능력 등이 비례한다고 가정하여 연공(seniority)을 기준으로 기본급을 산정하는 방식이다. 보통 개인의 근속연수에 호봉 개념이 반영되어 동일한 근속연수이더라도 개인의 학력과 회사의 근무경력에 따라 연공에 차이가 나게 된다. 과거 많은 한국 기업이 연공급 체계를 따랐으나, 경쟁 환경과 사회 변화에 따라 최근에는 많은 기업들이 호봉제를 폐지하고 성과주의에 기반한 임금 체계를 도입하거나 성과주의와 연공급을 적절하게 결부시켜 새로운 임금체계를 운영하고 있다.

B. 직무급

직무급은 능력주의에 기반하여 직무의 상대적 가치를 기준으로 개인의 임금이 결정되는 동일노동, 동일임금의 원칙에 입각한 기본급 체계이다. 직무급이 제대로 시행되기 위해서는 직무 수행 능력을 갖춘 직원을 해당 직무에 배치하는 것이 전제되어야 한다.

C. 직능급

직능급은 직원의 직무수행능력(직능)의 발전에 따른 자격 등급 · 기준을 정해 이를 기준으로 개인의 임금을 결정하는 기본급 체계이다. 따라서 연공이나 직무가 동일해도 직능의 차이가 있을 경우 개인 간 임금 격차가 생긴다. 직무수행능력이란 현재의 일반적 업무 능력 외에도 잠재적인 능력을 포함하는 종합적인 능력을 의미한다. 직능급은 실제 적용상 연공급과 직무급을 혼합한 형태의 임금체계라고 할 수 있는데, 과거 우리나라와 같이 연공급에 대한 선호도가 높은 분위기 하에서 직무급만을 도입하기 곤란한 경우에 적합한 임금체계라고 볼 수 있다. 연공급이 사람에 대한 임금이고 직무급이 직무, 즉 일에 대한 임금이라면 직능급은 일을 전제로 한 사람에 대한 임금체계로, 먼저 직능을 등급화하여 직계(예: 주임, 계장, 과장 등)를 정하고 이를 다시 세분하여 호봉의 등급(1호봉, 2호봉, 3호봉 등)을 정하는데 호봉에는 근무연수, 학력 등의 연공적 요소가 포함된다.

③ 임금형태 관리

임금형태는 개인의 임금총액을 지급하는 방식을 결정하는 활동이다. 예를 들어 근무시간기준에 따라 시간급, 주급, 월급의 형태가 있을 수 있고, 현금과 특정 목적에만 사용가능한 현금성 임금의 비중을 기준으로 기본급 비중을 줄이고 복리후생비나 교육훈련비 비중을 늘리는 형태 혹은 그 반대의 형태가 있을 수도 있다.

2) 복리후생관리

(1) 복리후생이란?

복리후생이란 직원과 직원가족의 생활수준 향상을 위해 임금을 보완하는 차원에서 시행하는 간접적 보상을 말한다. 임금을 보완해준다는 의미에서 부가급부(fringe benefits)라고도 한다. 경제발전과 생활수준의 향상에 따라 임금을 중심으로 한 기본적인 근로조건 뿐만 아니라 근로자들과 그 가족의 생활안정, 문화수준의 향상, 건강의 증진을 통한 복지 문제의 중요성이 대두되면서 복리후생은 점차 임금, 근로시간 등의 기본적 근로조건을 보완하는 파생적 보상시스템으로 인식되고 있다.

(2) 복리후생제도의 유형

① 법정 복리후생

법정 복리후생은 국가의 사회보장제도의 일환으로서 근로자들을 여러 가지 위험으로부터 보호하는 건강보험, 연금보험, 산업재해보상보험, 고용보험 등의 4대 보험 제도를 일컫는다. 법정복리후생 제도는 법률에 의해서 근로자들을 고용한 조직이라면 강제적으로 실시해야 한다. 법정 복리후생에 소요되는 비용은 조직이 비용의 전액을 부담하는 경우도 있고 조직과 근로자들이 공동으로 부담하게 되는 경우도 있다.

② 법정 외 복리후생

법정 외 복리후생은 조직이 법률과 관계없이 임의로 또는 노동조합과의 교섭에 의해 시행하는 제도들을 통틀어 일컫는다. 법정 외 복리후생은 조직의 규모·특성·환경 등에 따라 다양한 형태로 시행되고 있다.

5. 인적자원의 이동

1) 인사이동의 의의

인사이동은 직원의 배치전환, 승진, 이직 등 종업원에 대한 조직적 차원에서의 계획적인 이동을 말하는 개념으로서 종업원을 선발하여 배치한 후에 종업원들이 업무를 수행해 나감에 따라 나타나는 능력 및 성과 등의 변화를 평가하고 평가결과에 따라 시행된다.

인사이동은 개인과 조직 모두에게 큰 의미를 갖는다. 개인의 경우 인사이동에 따라 직무, 권한, 책임이 바뀌거나 임금, 작업환경 등의 근로조건이 달라질 수 있다. 조직은 인사이동을 활용하여 환경변화에 따른 조직의 유연성을 확보하거나 종업원 능력과 직무 간의 최적의 결합을 도출함으로써 조직 전체의 생산성을 향상시킬 수 있다. 인사이동은 종업원의 근로의욕, 자기개발 노력, 생산성, 협력 등에도 영향을 미치기 때문에 조직의 생산성과 성과에 직결되는 문제이기도 하다. 따라서 인사이동은 매우 세심한 과정을 거쳐 계획, 실행되어야 한다.

2) 배치전환

(1) 의의

배치전환(transfer) 또는 전환배치란 직원이 직위, 책임, 임금 수준 등에서 기존의 직무와 유사한 직무로 이동하는 것, 즉 수평적인 인사이동을 하는 것이다. 전환배치는 직무이동, 직무순환(job rotation), 순환보직 등으로 불리기도 한다.

조직이 전환배치를 하는 이유는 기본적으로 종업원들의 경력개발에 있다. 전환배치를 통해 다양한 업무 경험을 쌓고 싶어하는 직원의 경력 욕구를 충족시키고 종합적인 업무능력을 갖춘 직원을 양성하는 것이 목적이다. 병원의 경우 일반 조직과 달리 고도로 전문화된 기능식 조직 혹은 매트릭스 조직으로 구성되어 있다. 따라서 의료진의 배치전환은 잘 발생하지 않는다. 하지만 병원에서도 의료진 외의 직종에서는 배치전환이 어느 정도 이루어지고 있다.

배치전환의 또 다른 이유는 조직 간의 소통을 증대시키기 위해서이다. 직원들의 부서 간 이동이 없으면 타 부서 직원과의 인간적 유대관계가 형성되기 어렵고 타부서 업무를 잘 알 수 없기 때문에 업무적인 협조도 잘 이루어지지 않게 된다. 따라서 상호 의사소통 장벽을 줄이기 위해 전환배치를 하는 것이다.

3) 승진

(1) 승진의 의의

승진이란 전환배치와 달리 종업원이 상위직무로 수직적인 인사이동을 하는 것이다. 승진을 통해 직원은 조직 내에서 권한, 보상, 책임이 동시에 향상된다. 대부분의 종업원은 승진을 통해 경력의 성장 기회를 갖고, 더 많은 보상을 받고, 자아실현의 욕구를 충족시키고자 한다. 반면 신분상승 욕구가 충족되지 못할 경우 능률과 사기가 저하되고 좌절감을 느낄 수도 있다.

(2) 승진의 유형

승진제도에는 연공주의에 입각한 연공승진제도, 직무능력에 초점을 두는 직위승진제도, 양자를 절충한 자격승진제도, 대용승진제도 등이 있다.

① 연공승진제도

개인의 근속연수, 학력, 경력, 연령 등 개인적인 연공과 신분에 따라 상위직급으로의 승진을 결정하는 제도를 연공승진 제도라고 한다. 이 제도는 과거 일본, 한국 등 동양의 많은 기업에서 널리 사용되었으나 현재의 급변하는 경영환경 하에는 적합하지 않다는 비판에 직면하면서 점차 사라지고 있는 추세이다. 하지만 공공적 성격을 가진 조직에서는 여전히 연공이 승진 평가의 중요한 기준이 되고 있으며 기업에서도 직·간접적으로 연공적 요소를 승진결정에 반영하고 있는 것이 현실이다.

② 직위승진제도

직위(職位) 또는 직계(職階)승진제도는 능력주의에 입각하여 직무내용의 종류와 필요지식, 기술, 난이도 및 책임의 정도를 기준으로 직무자격 요건에 적합한 경험, 능력, 숙련, 기능 등을 가진 사람을 승진시키는 방식이다. 직급승진은 한국 기업에서 대부분 채택하고 있는 승진 체계로서 직위(직계)승진제도의 하나의 형태이다. 직급승진은 업무 책임의 크기와 관할 부하의 규모에 따라 사원, 대리, 과장, 차장, 부장 등의 계층적 지위를 설정하고 책임과 관할 범위의 확대에 따라 상위계층으로 이동시키는 것을 말한다. 직계 혹은 직급승진제도를 운영하는 경우 상위직급은 한정되어 있고, 승진자격을 갖춘 사람은 증가함에 따라 승진적체현상이 발생한다. 승진적체가 지속되면 직원의 사기저하나 조직이탈이 문제가 될 수 있다. 기업이 고속으로 성장하던 시기에서 성숙기 혹은 안정기로 이행하는 시기에 승진적체현상이 심하게 일어날 수 있다. 이러한 문제를 해결하는 방법으로 자격승진, 대용승진, 혹은 팀제 등이 있다.

③ 자격승진제도

자격(資格)승진제도는 연공주의와 능력주의의 장점 절충한 승진제도이다. 직원의 현재 직위와 관계없이 직원이 갖춘 자격요건을 기준으로 그에 맞는 대우를 하는 것이다. 즉, 승진 기준이 되는 직능 혹은 자격을 설정하고 그 자격을 취득한 사람을 승진시키는 제도라고 볼 수 있다. 예를 들면, 특정 자격증 취득 여부에 따라 차장 1호봉에서 2호봉으로, 3급사원에서 2급사원으로 승진하는 경우를 말한다.

④ 대용승진제도

대용(surrogate)승진은 준승진(quasi-promotion)이라고도 한다. 대용승진은 직원이 승진에 필요한 요건을 갖추었으나 조직 내에 적절한 직위나 직책을 마련하기 어려울 경우 사기저하와 인사적체를 막기 위하여 직무내용 상의 실질적인 승진은 없이 직위명칭 등의 형식적인 승진만을 하는 경우이다. 임시직급이나 대우제도 등이 대용 승진의 사례이다.

4) 이직

(1) 이직의 의의

이직은 사용자와 근로자 간에 체결된 근로관계의 종료, 병원의 경우는 근로자와 병원 간의 고용 관계가 종료되는 것을 말한다. 우리나라에서 평생직장 개념이 보편화되어 있던 과거에는 한 번 입사한 직장에서 정년을 맞는다는 것을 당연한 것으로 받아들이는 경향이 있었다. 최근 우리나라에서도 과거와 달리 종업원들의 이직이 자발적, 비자발적으로 활성화되었다.

(2) 이직의 원인과 영향

① 이직의 원인

이직의 원인은 매우 다양하다. 수평적 노동시장의 발달로 병원을 옮기는 것이 어렵지도 않고, 외부노동시장에 인력수요가 많고, 사회적 분위기가 이직을 쉽게 용납하면 이직은 활성화된다. 그리고 병원의 인사제도, 임금수준의 적정성, 공정성에 대한 불만이 개인의 이직 사유가 될 수 있다. 직무 관련 적성, 업무량 과다로 인한 과도한 스트레스나 질병이 원인이 되어 다른 병원으로 전직을 원하게 될 수도 있다. 상사, 동료와의 인간 관계가 문제가 되어 이직을 하게 될 수도 있다. 또한 가족부양 책임이 적은 사원일수록, 교육수준이 높을수록, 젊을수록 이직률이 높다는 조사도 있다. 개인적 성격, 태도에 따라서도 이직 성향은 달라질 수 있다.

② 이직의 영향

이직은 조직에 미치는 영향에는 긍정적 측면과 부정적 측면이 공존한다.

표 5 이직의 영향

	내용
긍정적 효과	- 다양한 노동력 증가 기회로 인한 다양성과 혁신의 증가 - 잔류사원의 이동과 승진의 기회를 제공 - 무능사원과 불만사원의 퇴직으로 조직에 긍정적 효과 발생 - 인력 수급의 유연성을 제공 - 조직의 입장에서의 노동 비용이 감소 - 과잉인력의 자연감소 효과 창출
부정적 효과	- 대체인력을 찾기 위한 모집, 선발, 훈련 비용 발생 - 경력자 상실로 인해 조직의 생산성 약화된다. - 조직에 위화감, 구성원의 사기저하, 불안감을 조성 - 잔류사원의 업무량이 증가 - 병원의 이미지 악화 - 종업원 모집의 어려움 발생

기출 문제

01 직무와 관련된 내용으로 가장 적절하지 않은 것은?

① 점수법은 직무 간 구체적인 가치를 비교할 수 있으나 결정 과정에서 주관의 개입 여지가 크다.

② 직무평가란 조직 내 직무의 상대적 가치를 일정한 요소에 의해 비교하여 등급화하는 것이다.

③ 요소비교법은 타당성과 신뢰도가 높으나 평가방법이 복잡하다.

④ 모든 직무의 상대적 서열을 결정하는 서열법은 단순하고 신속하다.

정답 1

점수법은 직무 간 구체적인 가치 비교가 가능하며 주관성을 최소화할 수 있는 장점이 있다.

02 다음 중 직무기술서와 직무명세서에 대한 설명으로 적절한 것은?

① 직무명세서란 직무분석 결과에 의거하여 직무수행에 필요한 종업원의 행동, 기능, 능력, 지식 등을 일정한 양식에 기록한 문서를 말한다.

② 직무기술서는 직무의 인적 요건에 초점을 둔 것으로서 과업에 대한 기술에서 인적 요건을 이끌어내는 것이 적절하다.

③ 직무명세서에는 성명, 소속, 근로자 수 등 직무 확인 항목과 직무 내용, 직무 요건 등이 포함된다.

④ 직무명세서는 직무를 정의하는 데 있어 일의 범위와 성격을 확실하게 명시해야 한다.

정답 1

①, ②는 직무 명세서, ③, ④는 직무기술서에 대한 설명이다.

기출 문제

03 직무평가방법 중 점수법에 해당하는 설명으로 가장 바람직한 것은?

① 비계량적인 방법 중 하나이다.
② 정확한 평가요소의 선정과 평가요소별 가중치의 결정이 어렵나.
③ 신속하고 간편하게 직무의 등급을 매길 수 있다.
④ 기준 직무의 선정과 평가요소별 임금의 배분이 어렵다.

정답 2

점수법과 요소비교법은 계량적 평가 방법으로 볼 수 있다. 신속하고 간편하게 직무 등급을 매길 수 있는 방법은 서열법이다. 요소비교법은 기준 직무의 선정과 평가요소별 임금 배분이 어려운 것이 단점이다.

04 배치전환에 의한 조직의 유연성을 높이기 위한 방법의 하나로서 종업원의 직무영역을 변경시켜 다방면의 경험, 지식 등을 쌓게 하는 인재양성제도를 무엇이라고 하는가?

① 직무충실화
② 직무확대
③ 직무공유
④ 직무순환

정답 4

직무순환은 배치전환에 의한 조직의 유연성을 높이는 방법으로서 종업원의 직무영역을 다변화시켜 다방면의 경험, 지식 등을 쌓게 하는 인재양성제도이다.

기출 문제

05 인적자원의 모집에 대한 설명으로 가장 적절하지 않은 것은?

① 모집 실수로 지원자가 적은 경우에는 선발 수준을 낮추어야 하므로 향후 신입 사원 교육 및 훈련에 많은 비용을 투자하게 된다.

② 사내공모제도는 공석 발생시 사내 게시판에 모집 공고를 게시하여 자격 요건을 갖추었다고 판단되는 직원을 발굴하는 방식으로서 사무직보다 현장 근로자 채용에 더 적합하다.

③ 광고, 인턴십, 교육 훈련 기관(학교 및 대학) 추천, 직업소개기관, 직원 추천 등을 통한 외부 채용 방식도 활용한다.

④ 모집은 신입 사원의 평균 자격 수준에 영향을 미치는 중대한 업무이다.

정답 2

사내공모제도는 현장 근로자보다 사무직 채용에 더 적합하다.

06 다음 중 OJT(On the job training)에 대한 설명으로 적절하지 않은 것은?

① 개인의 능력에 따른 맞춤형 교육이 가능하다.

② 교육인원에 제한이 없다.

③ 비용이 적게 들고 실행이 용이하다.

④ 통일된 훈련이 어렵다.

정답 2

OJT는 직장 내 훈련으로서 구체적 직무에 대해서 직속상사가 부하에게 직접적으로 개별지도를 하고 교육훈련을 시키는 방식이다. 다수의 직원을 한꺼번에 훈련시키기 어려운 단점이 있다.

기출 문제

07 Off-JT(Off the job training)에 대한 설명으로 가장 적절하지 않은 것은?

① 직원을 업무를 수행하는 장소에서 시간적, 공간적으로 고립된 공간(예: 연수원, 전문 아카데미)으로 이동시키고 내외부 전문가를 초청하여 집중적으로 교육 훈련을 진행하는 방식이다.
② 근로자는 일의 부담이 없는 상태에서 훈련에만 집중할 수 있다.
③ OJT의 진행 유형으로 세미나, 컨퍼런스, 컴퓨터 기반 교육, 시뮬레이션, 비디오 교육, 감성 교육 등이 있다.
④ Off-JT에서는 현장에서 일하는 것과 직접적으로 관련이 있는 스킬 교육에 집중해야 한다.

정답 2

Off-JT는 현장에서 일하는 것과 직접적으로 관련이 없는 일반적인 역량이나 스킬 교육을 통해 현장 교육의 단점을 보완하는 데 효과적이다.

08 개인의 경력 계획과 조직의 경력 관리 활동을 연결하여 개인의 경력 개발을 돕는 계획을 무엇이라고 하는가?

① MBO
② SSP
③ OKR
④ CDP

정답 4

개인의 경력 계획과 조직의 경력 관리 활동을 연결하여 개인의 경력 개발을 돕는 계획을 경력 개발 계획 또는 경력 개발 프로그램(Career Development Program, CDP)이라고 한다.

기출 문제

09 평가자의 경험에 의해 만들어진 여러 전형들을 머릿속에 간직하고 있다가 하나라도 비슷한 사람이 생기면 즉시 그 전형에 의해 평가하는 오류를 무엇이라고 하는가?

① 중심화 경향
② 상동적 태도
③ 가혹화 경향
④ 논리적 오류

정답 2

상동성 오류는 특정 집단에 대한 평가자의 인식을 개인에 대한 평가에 투영하면서 공정한 평가를 하지 못하는 현상을 말한다. 예를 들어 평가자가 특정 종교, 정치, 사회 집단에 대해 나쁜 감정을 가지고 있을 때 여기에 속하는 평가자의 평가도 나쁘게 주는 경우가 있을 수 있다.

10 직무분석의 결과로 작성된 직무기술서와 직무명세서를 기준으로 기업 내의 각종 직무의 중요성, 직무수행의 난이도, 위험도 등을 비교, 평가함으로써 직무 간의 상대적 가치를 체계적으로 결정하는 과정을 무엇이라고 하는가?

① 직무평가
② 직무설계
③ 직무순환
④ 직무공학

정답 1

직무 평가는 조직 내 각 직무의 상대적 중요성 정도를 평가하는 것이다. 직무 분석 결과 제시된 직무의 직무 기술서와 직무 명세서는 직무 평가의 기초 자료로 활용된다. 직무의 상대적 가치는 조직의 다른 직무에 비해 해당 직무가 갖는 난이도, 책임, 중요성 및 기술 수준에 의해 측정, 평가된다.

기출 문제

11 임금 관리에 관한 설명으로 가장 적절하지 않은 것은?

① 임금 수준의 결정요소는 생계비 수준, 기업의 지불능력, 사회일반 임금수준 등이 있다.
② 임금관리의 3요소는 임금 수준, 임금 체계, 임금 형태이다.
③ 임금수준의 상승은 제조원가 상승으로 이어져 기업의 가격경쟁력 하락의 원인이 될 수 있다.
④ 타사와 비교해서 구성원들에게 지나치게 낮은 수준의 임금을 지급하더라도 우수한 인적 자원을 타사에 빼앗길 우려는 적다.

정답 4

일정 기간 동안 종업원에게 지급되는 평균 임금을 임금수준이라고 한다. 타사에 비해 지나치게 낮은 임금수준은 인력 이탈의 원인이 될 수 있다.

12 임금체계의 종류에 대한 설명으로 적절하지 않은 것은?

① 연공급은 임금이 개개인의 실력에 기반을 두고 있으므로 구성원들의 동기부여에 효과적이다.
② 성과급은 성과나 능률을 기준으로 임금을 결정하는 임금체계이다.
③ 직능급은 연공급과 직무급을 절충한 임금체계이다.
④ 직무급은 각 직무의 상대적 가치에 따라 등급화된 직무등급에 따라 임금 수준을 결정하는 체계이다.

정답 1

연공급은 개인의 연령, 학력, 근속연수 등 인적 요소 중심으로 임금 수준을 결정함으로써 종업원의 능력개발, 업무 동기부여 효과가 미약한 것이 문제이다.

13 다음의 내용과 관련 있는 인사고과법은?

- 평가자와 피평가자가 평가 과정에 참여하여 성과 목표를 설정하고, 업무 수행 결과의 목표 대비 실적치를 기말에 평가하는 것.
- 목표 달성 정도에 대한 평가 과정 및 평가 이후의 자세한 피드백을 통해 피평가자는 자신에 대한 평가 결과를 수용할 수 있게 되고 향후 업무 목표 설정과 성과 증진에 필요한 구체적인 데이터를 얻게 됨.
- 직원의 자율성이 강조되는 전문직, 영업직, 경영지원직 등의 평가에 유용하지만 모든 직무에 일괄적으로 적용하기는 어려움.

① 목표관리법(MBO)
② 행위기준고과법
③ 프로브스트법
④ 중요사건기록법

정답 1

피터 드러커를 중심으로 개발된 목표 관리법(MBO)은 평가자와 피평가자가 평가 과정에 참여하여 성과 목표를 설정하고, 업무 수행 결과의 목표 대비 실적치를 기말에 평가하는 고과 방식이다. MBO에서 가장 중요한 것은 목표 달성 정도에 대한 평가 과정 및 평가 이후의 자세한 피드백이다.

기출 문제

14 직원이 승진에 필요한 요건을 갖추었으나 조직 내에 적절한 직위나 직책을 마련하기 어려울 경우 직무내용 상의 실질적인 승진은 없이 직위명칭 등의 형식적인 승진만을 하는 것을 어떤 승진제도라고 하는가?

① 특별승진 제도
② 대용승진 제도
③ 자격승진 제도
④ 연공승진 제도

정답 2

대용(surrogate)승진은 준승진(quasi-promotion)이라고도 한다. 대용승진은 직원이 승진에 필요한 요건을 갖추었으나 조직 내에 적절한 직위나 직책을 마련하기 어려울 경우 사기저하와 인사적체를 막기 위하여 직무내용 상의 실질적인 승진은 없이 직위명칭 등의 형식적인 승진만을 하는 경우이다. 임시직급이나 대우제도 등이 대용승진의 사례이다.

15 다음 중 복리후생제도에 관한 설명으로 가장 적절하지 않은 것은?

① 집단적 보상의 성격을 갖는다.
② 기대소득의 성격을 갖는다.
③ 한 가지 형태로만 지급된다.
④ 직위, 직능 등의 기준에 따라 차등화될 수 있다.

정답 3

복리후생은 기업 조직이 종업원과 종업원 가족의 생활수준을 높이기 위해 제공하는 임금 이외의 보상을 말한다. 복리후생은 기업에 따라 현물, 시설이용권 등 여러 가지 형태로 제공한다.

CHAPTER

재무관리

Dental Management Officer

재무관리

Dental Management Officer

10

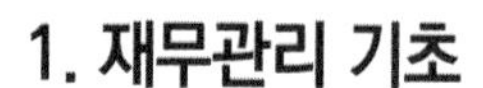

1. 재무관리 기초

1) 재무관리개요

(1) 재무관리는 기업가치를 극대화하기 위해 투자의사결정과 자금조달 결정을 하는 학문

기업가치 V= f (현금 흐름, 위험)

(2) 재무관리의 목표: 기업가치 극대화

(3) 재무관리의 주요 역할

투자의사결정, 자본조달 결정, 배당 결정, 위험관리

재무상태표

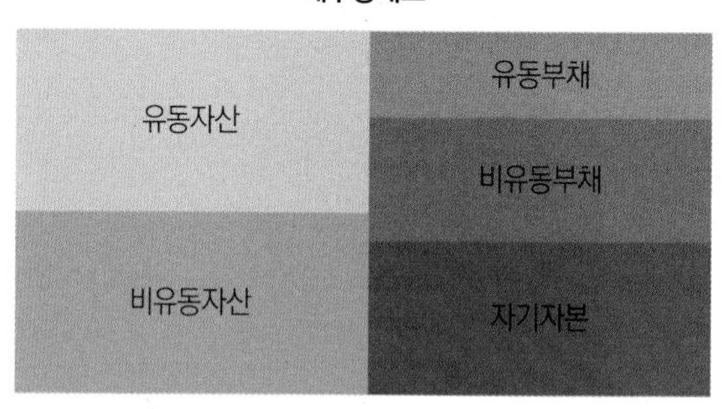

2) 화폐의 시간가치

같은 금액의 화폐라도 시간에 따라 달리 평가되기 때문에 가치를 평가하기 위해서는 같은 시점에서 평가해야 한다.

(1) 현재 가치(Present Value) 및 미래 가치(Future Value)

$PV = \frac{FV}{(1+r)^n}$: 현재 시점에서 미래의 특정 시점의 화폐의 가치를 평가한다.

r: 할인율(이자율, 자본비용), n: 미래의 특정 기간

$FV = PV(1+r)^n$: 특정 미래시점에서 현재 시점의 화폐의 가치를 평가한다.

(2) 영구 연금의 현재 가치

영구 연금은 매년 말에 동일한 금액을 영구히 발생시키는 현금 흐름

$$PV = \frac{C}{(1+r)} + \frac{C}{(1+r)^2} + \frac{C}{(1+r)^3} + \ldots + \frac{C}{(1+r)^n} = \frac{C}{r}$$

(3) 연금의 현재 가치

연금은 매 기간 말 일정한 현금 흐름이 일정한 기간 동안 발생하는 현금 흐름

$$PV = \frac{C}{(1+r)} + \frac{C}{(1+r)^2} + \frac{C}{(1+r)^3} + \ldots + \frac{C}{(1+r)^n} = C \times [\frac{1}{r} - \frac{1}{r(1+r)^n}]$$

기출 문제

01 현재 이자율이 10%이다. 5년 후 100만 원을 받을 수 있다. 이 100만 원의 현재가치는 얼마인가?

풀이

$PV = \frac{100만원}{(1+10\%)^5}$ = 620,921원

02 매년 말 100만 원씩 20년을 수령할 수 있는 연금이 있다. 이 연금의 현재가치는 얼마인가? 시장이자율은 10%이다.

풀이

$PV = 100만원 \times [\frac{1}{10\%} - \frac{1}{10\%(1+10\%)^{20}}]$ = 851만 원

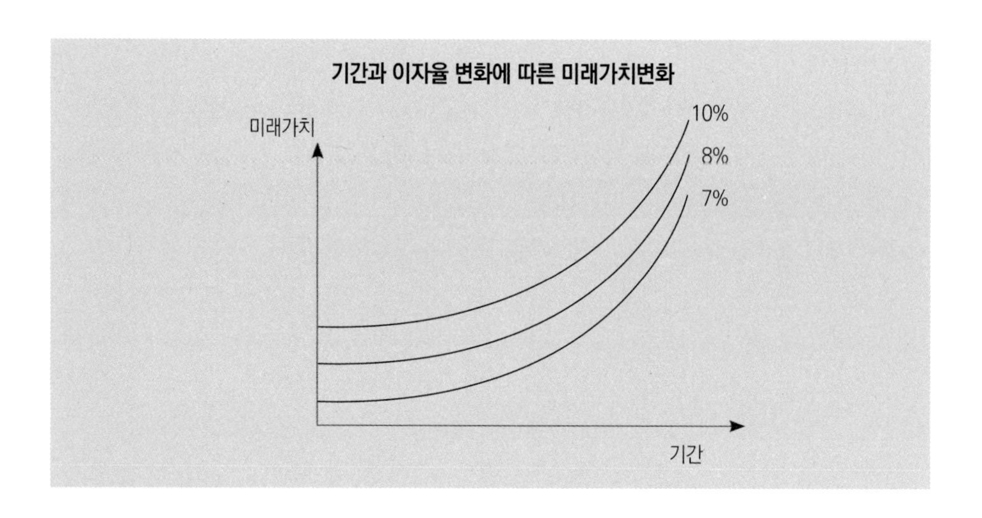

3) 기업의 형태

(1) 개인기업

- 한 개인이 모든 소유권을 가지고 있으며, 주로 작은 규모에서 많이 나타난다.
- 소유주는 회사의 부채에 대해서 무한책임이 있으며, 소유주의 수명이 곧 회사 수명이다.

(2) 합명회사

- 소유주가 여러 명이며, 모든 소유주는 기업활동에 대해 무한 책임을 진다.
- 회계법인, 법무법인에서 이러한 형태를 관찰할 수 있다.

(3) 유한회사

- 사원이 기업활동에 대해서 출자금의 내에서 유한책임의 의무가 있다.

(4) 주식회사

- 기업의 소유권이 많은 주주에게 분산되어 있으며 주주는 출자금의 한도 내에서 유한 책임 의무가 있다.
- 현대에서 가장 일반적인 회사의 형태이며, 대규모의 주식회사는 소유와 경영의 분리가 가능하다.

4) 대리인 문제

- 주식회사에서 많은 경우 주주는 이사회를 구성하고, 이사회는 경영자를 선임하여 기업경영을 위임한다. 즉, 소유와 경영이 분리된다,
- 소유와 경영이 분리되어 전문 경영인에 의해서 회사를 운영하는 장점이 있으나 주주와 경영자와의 이해관계가 다를 경우 대리인 문제가 발생하며, 채권자와 주주 사이에도 대리인 문제가 발생할 수 있다.

5) 재무제표

재무상태표

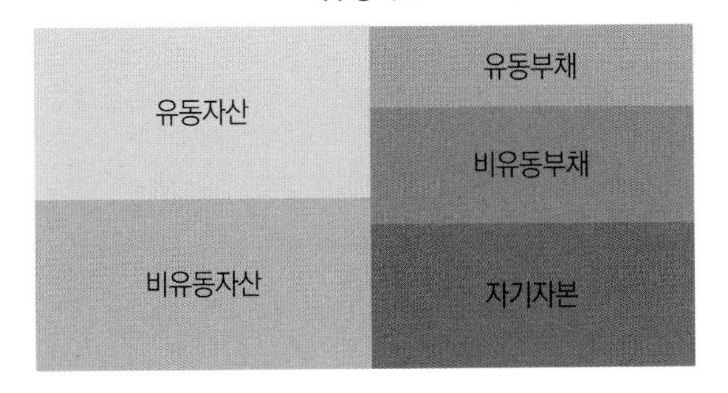

특정시점에서 기업의 자산, 부채, 자본을 보여줌
자산 = 부채 + 자본

총자산 = 부채와 자본총계

손익계산서

매출액
매출원가 (-)
매출총이익
판매관리비 (-)
영업이익
기타손익 (+,-)
법인세차감전 순이익
법인세 비용 (-)
당기순이익

일정 기간 동안 기업의 성과를 보여줌
대체로 그 기간은 1월 1일 ~ 12월 31일

현금흐름표

영업활동현금흐름
재무활동현금흐름
투자활동현금흐름
현금의 변동
기초의 현금
기말의 현금

일정 기간 동안 기업의 현금흐름의 정보를 보여줌
발생주의로 기록된 회계정보를 현금흐름으로 변환함

2. 위험과 수익률

1) 수익률

(1) 수익: 투자로부터 얻는 투자대비 성과 혹은 이익률

보유기간수익률 = (기말투자금액 - 기초투자금액)/(기초투자금액)

기출 문제

01 현재 주식 100만 원을 투자해서 2년 후 300만 원에 판매하였다. 이 주식으로부터 얻은 수익률을 계산하시오.

풀이

(300 -100)/100 = 200%

2) 수익률의 측정

산술평균수익률 = $\frac{(X_1 + X_2 + X_3 + \ldots + X_n)}{N}$, 재투자를 고려하지 않았다.

기하평균 수익률 = $[(1+R_1)(1+R_2)(1+R_3)\ldots(1+R_n)]^{\frac{1}{n}} - 1$, 재투자를 고려하였다.

산술평균수익률 〉 기하평균수익률이며, 기하평균수익률은 시간가중수익률, 펀드매니저 수익률이라고도 한다.

기출 문제

02 주식 A의 지난 4년간 수익률은 아래의 표와 같다. 주식 A의 산술평균 연 수익률과 기하평균 연 수익률을 계산 하시오.

2020년	2021년	2022년	2023년
10%	-5%	12%	-1%

풀이

산술평균 연수익률 = (10% -5% +12% -1%)/4 = 4.0%

기하평균 연수익률 = $(1+10\%)\times(1-5\%)\times(1+12\%)\times(1-1\%)]^{\frac{1}{4}} - 1 = 3.8\%$

2) 위험

미래의 불확실성을 의미하며, 분산으로 측정한다.

(1) 분산 = $(X_1 - \text{평균})^2 + (X_2 - \text{평균})^2 + \cdots + (X_n - \text{평균})^2 / N$

$Var(X) = E[X - E(X)]^2$

분산이 클수록 평균에서의 편차가 크기 때문에 위험이 크다고 하며, 반대로 분산이 작을수록 평균에서 편차가 작기 때문에 위험이 작다고 한다.

(2) 표준편차 = $(\text{분산})^{\frac{1}{2}} = Var^{\frac{1}{2}}$

분산으로는 집단끼리 비교할 수 없어, 표준편차를 통해 서로 다른 집단끼리 비교 가능하다.

(3) 공분산과 상관계수

공분산: 두 확률 변수가 연관되어 움직이는 정도

$Cov(X, Y) = E[(X-E(X))(Y-E(Y))]$

상관계수: 공분산도 분산처럼 집단간의 비교가 어렵기 때문에 이를 집단 간의 비교가능하게 표준화 시킨 값

$\rho = Corr(X, Y) = Cov(X, Y)/(\sigma x \sigma y)$

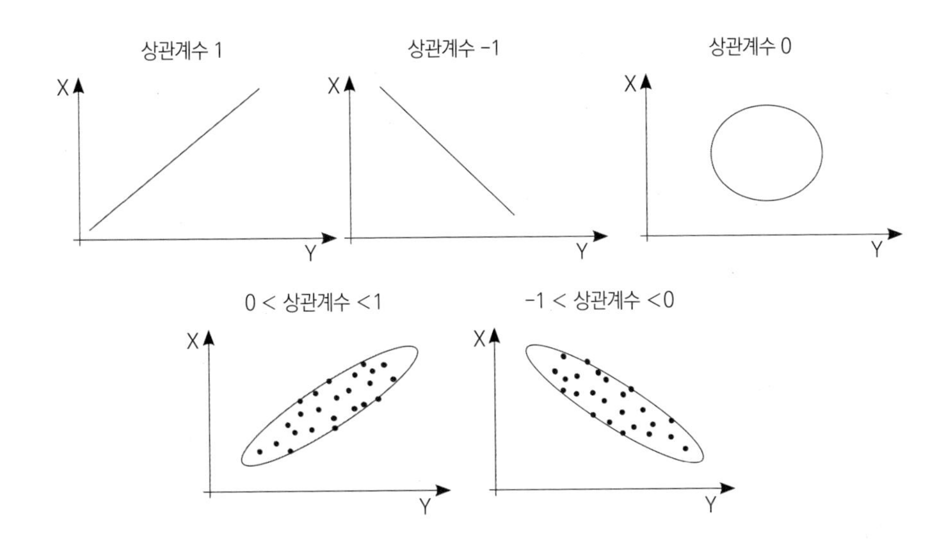

(4) 위험에 대한 태도

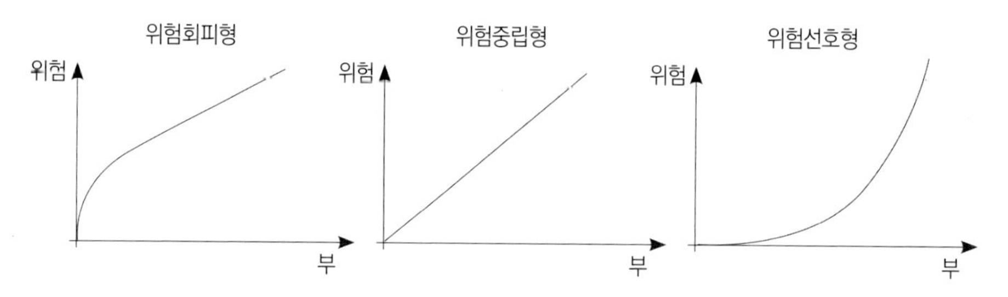

합리적인 투자자는 위험회피형 투자자이다.

3) 포트폴리오의 위험과 수익률

포트폴리오: 2개 이상의 자산 집합

(1) 두 위험 자산으로 구성된 포트폴리오의 수익률

자산 1, 자산 2가 있으며, 각각의 수익률은 r_1과 r_2이다.

두 자산 1과 2로 구성된 포트폴리오 기대수익률 = $E(R_p) = E(w_1r_1 + w_2r_2)$

$= w_1E(R_1) + w_2E(R_2)$

$w_1 + w_2=1$, 자산 A의 투자금액/(자산 A + 자산 B 투자금액)

w_1은 자산1이 전체 포트폴리오의 가치 중에 차지하는 비율

(2) 두 위험 자산으로 구성된 포트폴리오의 위험

$Var(R_p) = Var(w_1r_1+w_2r_2) = Var(w_1r_1) + Var(w_2r_2) + 2Cov(w_1r_1, w_2r_2)$

$= (w_1)^2Var(r_1) + w_2{}^2Var(r_2) + 2w_1w_2Cov(r_1, r_2)$

$= w_1{}^2\sigma_1{}^2 + w_2{}^2\sigma_2{}^2 + 2w_1w_2\rho_{12}\sigma_1\sigma_2$

기출 문제

01 주식 A와 주식 B에 대한 미래 수익률은 다음의 표와 같다. 주식 A에 25%를 투자하고 주식 B에 75%를 투자한 포트폴리오 P를 구성하려고 한다. 이 포트폴리오의 기대수익률과 분산, 표준편차, 상관계수를 계산하시오.

〈상황별 주식 A, B의 기대수익률〉

상황	확률	주식 A수익률	주식 B수익률
호황	30%	20%	10%
보통	50%	10%	5%
불황	20%	−10%	0%

풀이

1) 포트폴리오 P의 기대수익률 = 0.25 x 9% + 0.75 x 5.5% = 6.4%

주식 A의 기대수익률 = 30% x 20% +50% x 10% + 20% x −10% = 9.0%

주식 B의 기대수익률 = 30% x 10% + 50% x 5% + 20% x 0% = 5.5%

2) 포트폴리오 P의 분산 = $(0.25)^2$ x 0.0109 + $(0.75)^2$ x 0.001225 + 2 x 0.75 x 0.25 x (−0.00355) = 0.0000390625

주식 A의 분산 = $(20\% - 9\%)^2$ x 30% + $(10\% - 9\%)^2$ x 50% + $(-10\% - 9\%)^2$ x 20% = 0.0109

주식 B의 분산 = $(10\% - 5.5\%)^2$ x 30% +$(5\% - 5.5\%)^2$ x 50% + $(0\% - 5.5\%)^2$ x 20% = 0.001225

주식 A와 B의 공분산 = (20% − 9%)(10% − 5.5%) x 30% + (10% − 9%)(5% − 5.5%) x 50% + (−10% − 9%)(0% − 5.5%) x 20% = 0.00355

3) 포트폴리오 P의 표준편차 = $(0.0000390625)^{\frac{1}{2}}$ = 0.625%

4) 포트폴리오 P의 상관계수 = 0.003555/[$(0.0109)^{\frac{1}{2}}$ x $(0.001225)^{\frac{1}{2}}$] = 0.9715

4) 평균-분산 모형(최적 포트폴리오 선택)

(1) 지배원리

합리적인 투자라면 위험이 동일한 포트폴리오가 존재한다면 수익률이 가장 높은 포트폴리오에 투자를 하고, 수익률이 같은 포트폴리오가 있다면 위험이 가장 낮은 포트폴리오에 투자를 한다.

〈지배원리〉

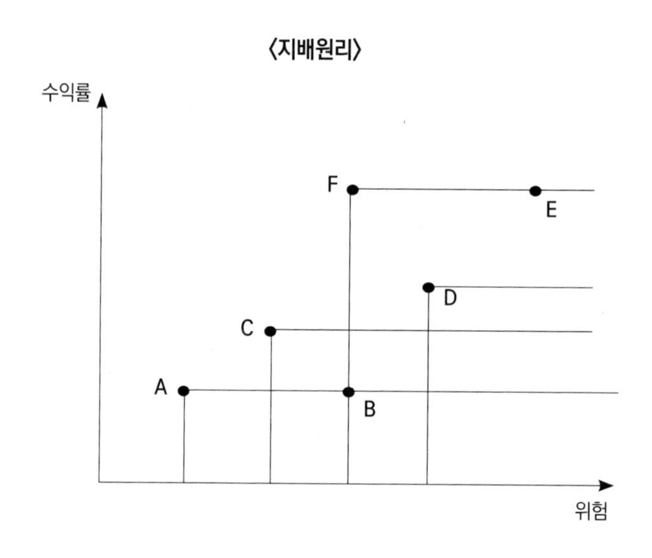

자산 A와 B를 비교하면, A와 B는 동일한 수익률을 가져다주는 자산이지만, 위험은 B가 A보다 크다. 그러므로 합리적인 투자자라면 A와 B 중에 A자산을 선택한다. F와 B 자산을 비교해도, F 자산이 B 자산과 위험은 같지만 수익률이 높으므로 합리적인 투자자는 F 자산을 선택한다. F 자산과 E 자산을 비교하면 두 자산 모두 같은 수익률을 가져다 주지만, F 자산의 위험이 E 자산보다 낮기 때문에 F 자산이 선택된다. F 자산과 D 자산을 비교하면 F 자산은 D 자산보다 수익률은 높고 위험은 낮으므로 D 자산은 선택되지 않는다. C 자산과 A, F 자산을 비교하면 어떤 자산이 다른 자산을 지배한다고 볼 수 없다. 그러므로 합리적인 투자자는 A, C, F 자산을 투자 가능 자산으로 고려한다.

(2) 무차별 곡선

무차별 곡선은 동일한 효용을 주는 조합을 연결한 선이다. 평균-분산 모형에서 무차별 곡선의 변수는 평균(기대수익률), 분산(위험)이며 두 변수의 결합으로 동일한 효용을 가져다 주는 조합을 연결한 선이다.

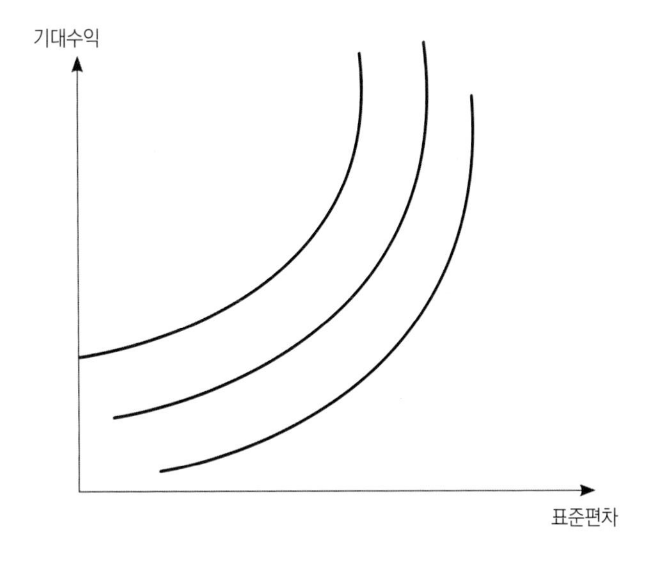

무차별 곡선은 다음의 특징을 갖는다.

① 우상향: 위험에 대해서 수익률을 요구하기 때문에 우상향한다. 기울기가 큰 무차별 곡선은 보수적인 투자자이며, 기울기가 완만한 곡선은 공격적인 투자자이다.

② 교차하지 않는다: 무차별 곡선은 개인의 효용이기 때문에 서로 교차할 수 없다.

③ 좌상향으로 이동할수록 더 높은 효용을 갖는다. 표준편차는 투자자의 효용을 감소시키고 기대수익률은 투자자의 효용을 증가시키기 때문에 위험이 작을수록, 수익률이 높을 수록 효용의 크기가 커진다.

④ 볼록성: 무차별 곡선은 원점에 대해 볼록하며 이는 위험 1 단위를 더 부담할 경우 이에 상응하는 기대수익률을 요구한다.

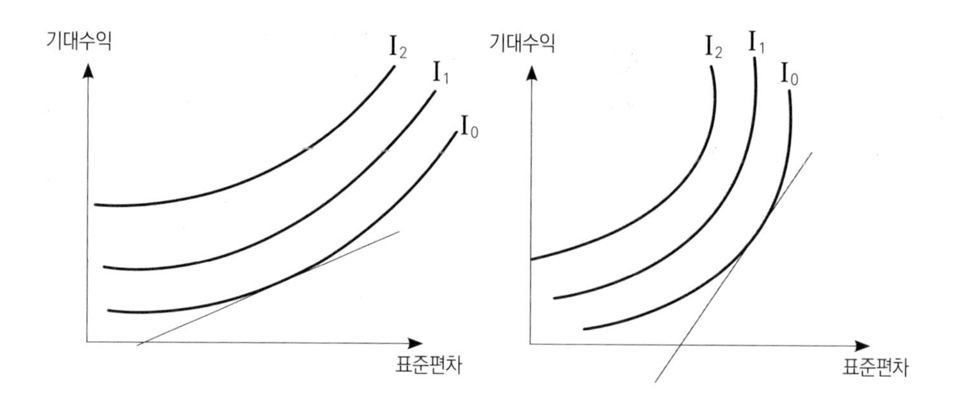

(3) 위험 자산의 선택

① 1단계: 지배원리를 통해 효율적 자산집합을 선별한다.

〈효율적 자산집합 선별〉

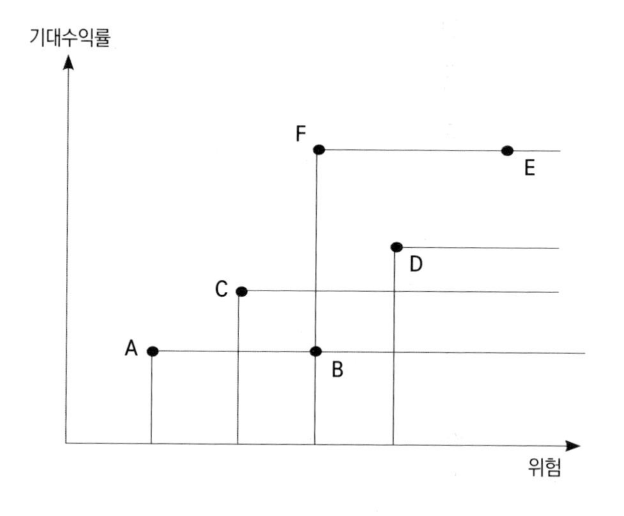

② 2단계: 투자자의 위험회피도에 따라 투자자산을 선택한다.

〈투자성향에 따라 투자자산 선택〉

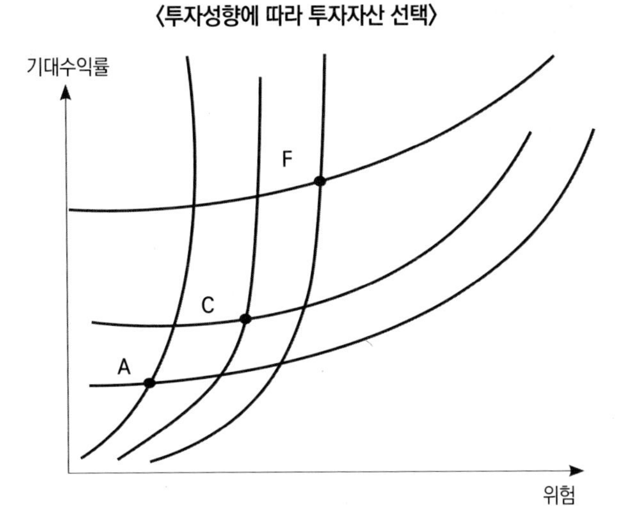

높은 위험과 높은 수익률을 가져다 주는 자산 F는 무차별 곡선의 기울기가 완만한 투자자가 선택하며, 낮은 수익률과 낮은 위험 자산인 A는 무차별 곡선의 기울기가 가파른 투자자가 선택한다. 즉 A는 보수적인 성향의 투자자가 투자하고, F는 공격적인 성향의 투자자가 선택한다.

5) 포트폴리오 위험분산효과

(1) 위험분산효과

두 개 이상의 자산으로 구성된 포트폴리오는 기대수익률이 일정한 상태에서 위험만 감소시킬 수 있으며, 이를 위험 분산효과라고 한다.

(2) 두 자산으로 구성된 포트폴리오의 기대수익률과 분산

자산 1, 2가 있으며, 각각 투자비율이 w_1, w_2이며, 수익률은 각각 r_1과 r_2이다.

기대수익률: $E(R_p) = w_1E(R_1) + w_2E(R_2)$

분산 $Var(R_p) = w_1^2Var(R_1) + w_2^2Var(R_2) + 2w_1w_2Cov(R_1, R_2)$

$= w_1^2\sigma_1^2 + w_2^2\sigma_2^2 + 2w_1w_2\rho_{12}\sigma_1\sigma_2$

① 두 자산의 상관계수가 1인 경우 포트폴리오의 분산

$Var(R_p) = w_1^2\sigma_1^2 + w_2^2\sigma_2^2 + 2w_1w_2\sigma_1\sigma_2$

② 두 자산의 상관계수가 0인경우 포트폴리오의 분산

$Var(R_P) = w_1^2 \sigma_1^2 + w_2^2 \sigma_2^2$

③ 두 자산의 상관계수가 -1인 경우 포트폴리오의 분산

$Var(R_P) = w_1^2 \sigma_1^2 + w_2^2 \sigma_2^2 - 2w_1 w_2 \sigma_1 \sigma_2$

ρ의 값이 -1에 가까울수록 포트폴리오의 분산은 감소하고, ρ의 값이 1에 가까울수록 포트폴리오의 분산은 증가한다. 두 자산의 상관계수(ρ)의 값이 낮을수록 포트폴리오의 분산은 감소하며, 이는 위험분산효과가 존재한다는 의미이다. ρ=1일 때에는 위험분산효과가 없다.

〈ρ값에 따른 포트폴리오의 분산 효과〉

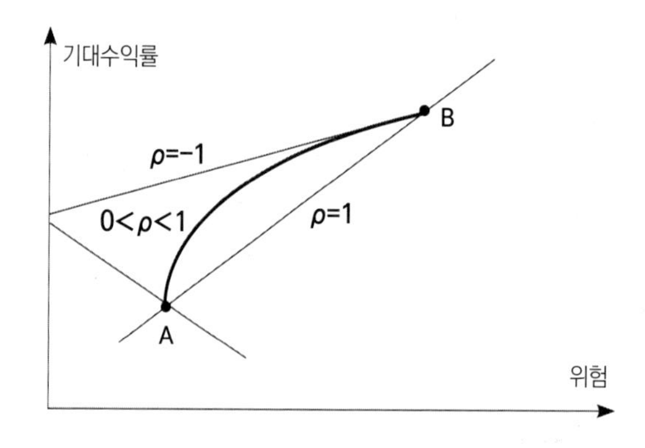

(3) n개의 자산으로 구성된 포트폴리오의 기대수익률과 분산

자산 1, 2, …n개가 있으며, 각각 투자비율이 w_1, w_2, …w_n이며, 수익률은 r_1, r_2,…, r_n이다

기대수익률: $E(R_P) = w_1E(R_1) + w_2E(R_2) + \cdots + w_nE(R_n)$

분산 $Var(R_P)$

$(w_1)^2Var(R_1) + w_2^2 Var(R_2) + 2w_1w_2Cov(R_1, R_2) + \cdots + 2w_{(n-1)}w_nCov(R_{n-1,} R_{n-2})$

수식을 보여준다.

N이 증가할수록 포트폴리오 위험은 공분산 위험으로 수렴한다.

총 위험 = 체계적 위험 + 비체계적 위험

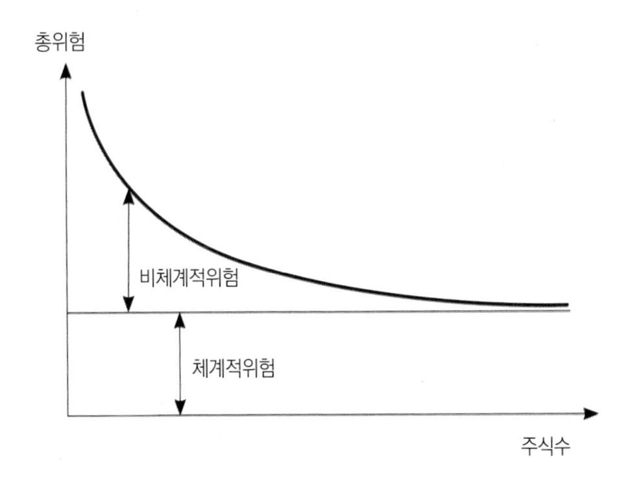

포트폴리오의 총 위험은 체계적 위험과 비체계적 위험의 합이며, 주식수를 증가시켜서 감소하는 위험을 비체계적 위험이라고 하고, 아무리 주식수를 증가시켜도 분산불가능한 위험은 체계적 위험이라고 한다. 체계적 위험은 인플레이션의 변동, 경제성장률의 변동, 이자율의 변동 등 경제 전체에 영향을 미치는 요인이며, 비체계적 위험은 특정 기업의 경영진의 사임, 노사분규 등 해당 기업에만 영향을 미치는 위험으로 기업고유 위험이라고도 하며 이는 분산투자를 통해서 제거시킬 수 있다.

(4) 최적 포트폴리오 선택

① 효율적 투자선

여러 투자 조합 중에 평균-분산지배원리에 의해서 다른 포트폴리오를 지배하는 포트폴리오의 집합을 효율적 포트폴리오라 하고, 이러한 효율적 포트폴리오를 연결한 선을 효율적 투자선이라고 한다.

② 최적 포트폴리오 선택

효율적 투자선과 투자자의 무차별 곡선이 만나는 점이 투자자의 효용을 극대화하는 점이고 투자자는 자신의 효용을 극대화하는 자산을 선택하여 투자한다.

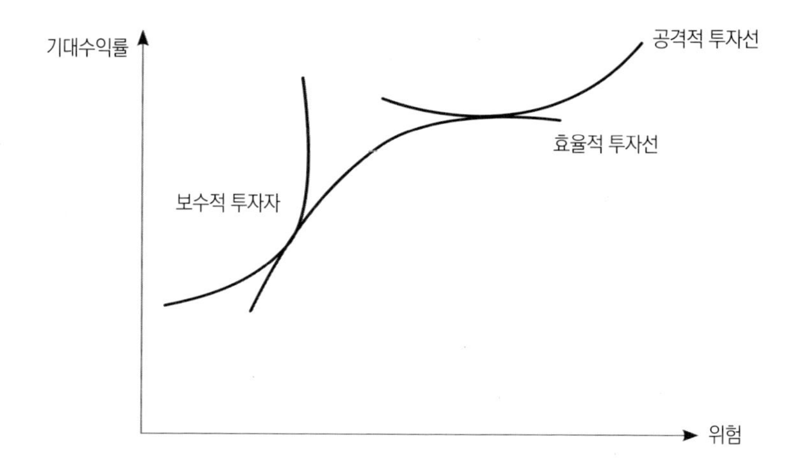

(5) 무위험 자산이 존재할 경우 최적 포트폴리오 선택

지금까지는 위험 자산만이 존재할 경우의 최적 포트폴리오를 선택하였으나 만약 무위험 자산이 존재하면 투자자는 위험 자산으로 구성된 포트폴리오와 무위험 자산을 결합하여 포트폴리오를 구성할 수 있다. 무위험 자산은 표준편차가 0인 자산이며, 외부 변수에 의해서 수익률 변동이 없는 자산이다. 이러한 자산의 대용치로 국채 수익률을 사용한다.

무위험 자산과 위험 자산으로 구성된 포트폴리오는 직선의 투자기회 집합을 만들며, 투자자는 자신의 투자성향(무차별 곡선의 기울기)에 따라 대출포트폴리오에 투자할 수도 있고, 차입포트폴리오에 투자할 수도 있다. 대출포트폴리오는 투자금 일부를 무위험 자산에 투자하고(무위험 이자율로 대출) 나머지는 위험 자산에 투자한 포트폴리오이며, 차입포트폴리오는 무위험 이자율로 차입하여 위험 자산에 모두 투자한 포트폴리오이다.

〈무위험 자산이 포함되었을 때의 최적 포트폴리오 선택〉

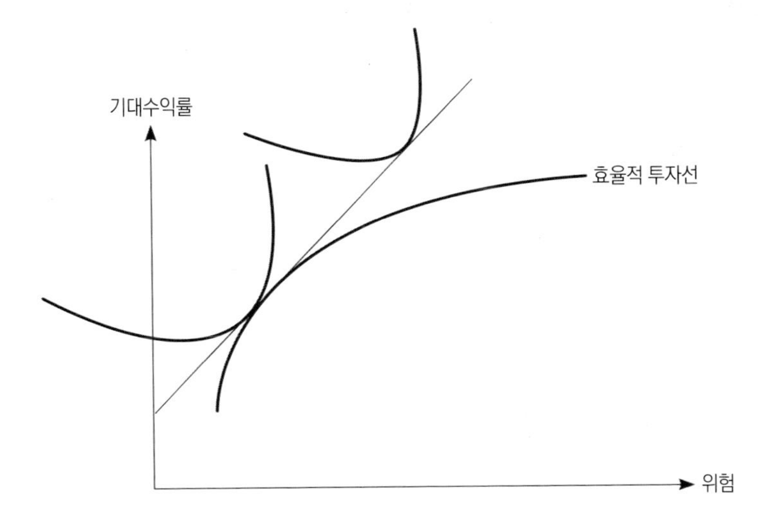

① 무위험 자산과 위험 자산으로 구성된 포트폴리오의 기대 수익률(수식 잘 쓰기)

무위험 자산을 R_f라고 하고, 위험 자산을 A라고 하자. 무위험 자산에 투자한 비중을 w, 위험 자산에 투자한 비중을 (1-w)이라고 하자.

$E(R_p) = wR_f + (1\text{-}w)A = R_f + w[E(R_A) - R_f]$

$Var(R_p) = w^2\sigma_a{}^2 + (1-w)^2\sigma_{rf}{}^2 + 2w(1-w)\sigma_{Arf} = w^2\sigma_A{}^2$

$$E(R_p) = R_f + \frac{[E(R_A) - R_f]}{\sigma_A} \times \sigma_p$$

위 그래프의 식이 자본시장선(Capital Market Line, CML)이라고 하며, 위험 자산이 존재할 때 효율적인 포트폴리오의 총 위험과 수익률 간의 관계를 나타낸다.

(6) 자본자산가격결정 모형(Capital Asset Pricing Model, CAPM)

자본자산가격결정 모형은 자본시장이 균형 상태에 있을 때 개별자산과 위험과의 관계이며 위험은 체계적위험을 나타내는 베타로 측정한다.

① CAPM의 가정

- 무위험 자산이 존재하며 투자자는 무위험 이자율로 차입, 대출을 제한없이 할 수 있다.
- 투자기간은 1기간만을 가정한다.
- 투자자는 동질적인 기대를 한다.

- 완전자본시장으로 거래와 관련한 세금, 거래비용이 없으며, 투자자는 가격 순응자이다.

② CAPM 도출 및 의미

개별자산이 시장 전체에 미치는 영향은 $\frac{w_i\sigma_{im}}{\sigma_m^2}$ 이다. $\beta=\frac{\sigma_{im}}{\sigma_m^2}$ 으로 표시하며 이는 공분산 위험인 체계적위험을 나타낸다. R_m은 시장포트폴리오를 의미하며, 시장포트폴리오는 시장에 존재하는 모든 위험 자산을 각각의 시장가치비중으로 만든 포트폴리오이다. 실무적으로 시장포트폴리오는 종합주가지수를 사용한다. SML의 기울기는 β이며 이는 위험프리미엄으로 체계적 위험 1단위당 보상받을 위험프리미엄을 의미한다.

w_i = 위험 자산 i의 시장가치/시장전체의 위험 자산의 총 시장가치

$E(R_i) = R_f + [E(R_m) - R_f] \times \beta_i$

〈증권시장선(Security Market Line, SML)〉

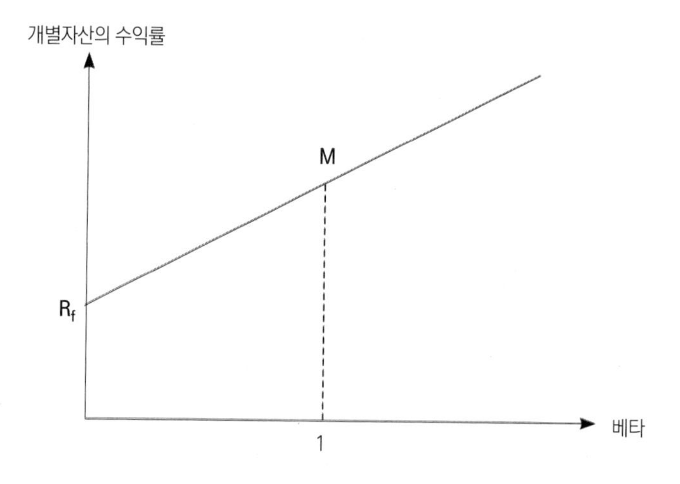

③ CML선과 SML선 비교

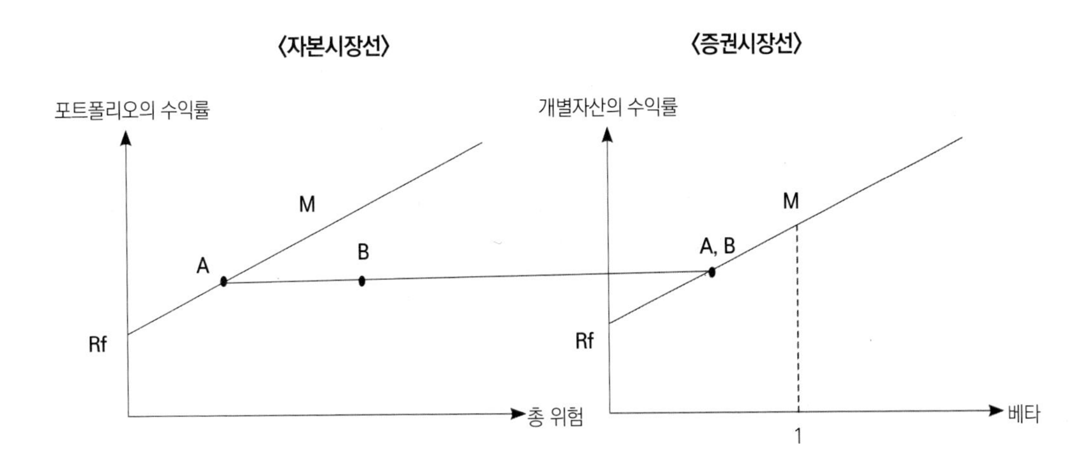

항목	자본시장선	증권시장선
위험측정지표	총위험(표준편차)	체계적위험(베타)
수익률 측정대상	포트폴리오	개별자산
측정할 수 있는 자산	효율적인 자산	모든자산

마코위츠의 평균-분산 모형을 만들기 위해서는 개별자산의 수익률 n개, 개별자산의 분산 n개, 공분산 $\frac{n(n-1)}{2}$개의 데이터가 필요하지만 SML을 이용한 모형을 만들기 위해서는 개별자산의 수익률 n개, 개별자산의 베타 n개, 개별주식의 잔차 n개, 시장수익률 1개를 포함하여 총 3n+1개의 데이터가 필요하다. 그러나 평균-분산 모형은 어떠한 가정도 하지 않으나, CAPM은 여러 가정을 통해서 위험과 수익률의 관계를 도출한다.

CAPM은 주식가치를 평가하기 위해서 필요한 할인율을 계산할 수 있으며, 주식의 과소, 과대평가를 알 수 있으며, 자본예산 등의 적정할인율을 계산할 때 사용할 수 있다.

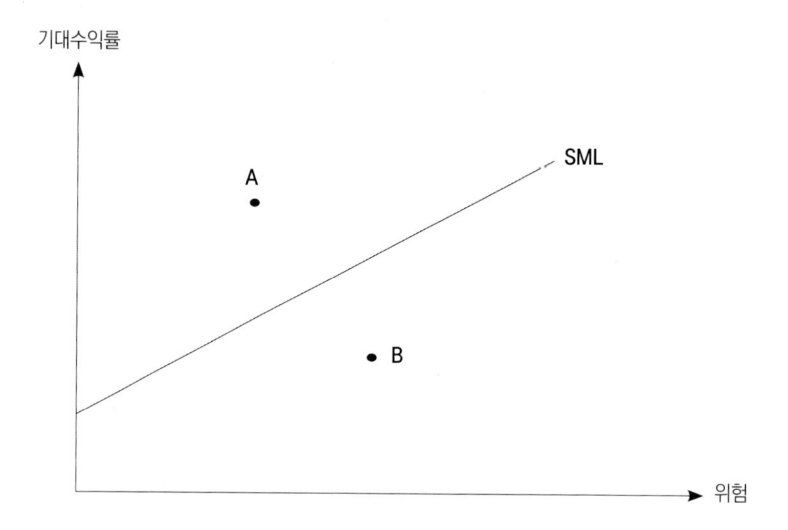

A자산은 균형수익률 보다 높은 기대수익률이기 때문에 과소평가 되었다. 균형보다 높은 수익률로 자산을 할인하면 자산의 가치는 하락해서 자산의 가격이 균형가격보다 과소평가된 결과를 갖는다. 반대로 자산 B는 균형수익률 보다 낮은 기대수익률이기 때문에 과대평가 되었다. 균형보다 낮은 수익률로 자산을 할인하면 자산의 가치는 균형가격보다 높게 형성되어 과대평가된 결과를 갖는다.

(7) 차익거래결정 모형(Arbitrage Pricing Theory, APT)

CAPM은 시장포트폴리오를 구성할 수 있다고 가정한다. 그러나 현실세계에서 모든 위험 자산으로 구성된 포트폴리오를 만드는 것은 불가능하다. 이 외에도 투자자들이 동질적 기대를 가정하며, 베타에 의해서만 자산의 수익률이 결정된다고 한다. 그러나 자산의 수익률은 베타 이외에도 다른 공통요인에 영향을 받기 때문에 APT 모형을 통해서 자산의 가격을 결정할 수 있다.

APT 모형의 가정

- 투자자들은 위험 회피형이며 많은 부를 선호한다.
- 미래에 대해 동질적으로 기대한다.
- 개별자산의 수익률은 여러 독립적인 공통요인에 의해 결정되며, 이들 간에는 선형관계가 있다.
- 자본시장은 완전시장이다.

$E(R_i) = R_f + \lambda_1 b_1 + \lambda_2 b_2 + \ldots \lambda_k b_k$

여러 공통요인으로 자산의 수익률이 결정되며 λ는 각각의 공통요인이 개별주식의 수익률에 영향을 미치는 정도이다.

APT는 CAPM과 비교하여 여러 공통요인이 자산의 수익률에 영향을 미친다고 가정하며, 효용함수가 2차식이라는 제약도 없으며, 시장포트폴리오를 가정하지 않는 장점이 있으나, 공통요인의 경제적 의미의 설명과 공통요인의 선정이 어렵다는 단점도 존재한다.

3. 자본예산

1) 자본예산의 의의

자본예산은 현금 흐름이 1년 이상의 기간에 걸쳐 나타나는 투자의사결정이다. 기업의 자산은 유동자산과 비유동자산이 있으며, 자본예산은 건물, 기계 등과 같은 비유동자산의 투자결정이다. 기업은 사업을 확장하거나 새로운 사업을 하기 위해서 공장을 신축하고, 신규 설비를 구입한다. 이러한 활동은 향후 기업의 수익성을 결정짓는 활동이며, 자본예산은 이러한 투자활동에 대한 타당성을 평가하는 것이다.

2) 현금 흐름 추정

투자안의 가치는 투자로부터 발생하는 회계적 이익이 아니라 현금 흐름이다. 회계적 이익을 현금 흐름으로 전화해야 한다.

(1) 현금 흐름 추정 원칙

① 증분기준

투자안을 선택했을 때와 그렇지 않았을 때의 현금 흐름의 차이를 추정한다.

② 부수적 효과 고려

선택된 투자안으로 인해 발생할 수 있는 영향을 고려해야 한다. 예를들어 비업무용 토지가 있어서 이를 제3자에게 임대를 하여 임대수익이 발생했으나, 이 토지에 공장을 짓기로 결정하여 앞으로는 임대수익이 발생하지 않는다면,

이러한 부수적 효과까지 고려해야 한다.

③ 기회비용 고려

기회비용은 여러가지 선택대안 중에 어떤 것을 선택하면서 포기해야 하는 가장 큰 비용이다. 이러한 기회비용까지 고려하여 현금 흐름을 추정해야 한다.

④ 매몰원가 고려하지 않음

매몰원가는 현재의 의사결정에 영향을 주지 않는 원가이다. 유휴 부지에 공장을 투자를 여부를 고려할 때, 2년 전에 직원들이 쉴 수 있게 벤치를 설치했고, 그 비용이 100만 원이 들었다면, 벤치설치한 비용은 매몰원가로 투자안의 현금 흐름 추정 시 고려할 필요가 없다.

⑤ 세후현금 흐름

모든 현금 흐름은 세후 기준으로 해야 한다.

⑥ 금융비용 고려하지 않음

금융비용은 할인율에 반영되어 있기 때문에 현금 흐름에 포함시키지 않는다.

⑦ 감가상각비

감가상각비는 현금지출을 수반하는 비용이 아니기 때문에 현금 흐름 추정 시 고려해야 한다.

⑧ 인플레이션

자본예산은 장기의 투자예산이기 때문에 인플레이션을 고려해야 한다.

(2) 현금 흐름 추정

- 투자시점 = -투자금액 + 각종세액 공제
- 운용시점 = 세후영업이익 + 감가상각비 + 순운전자본의 변동 - 자본적 지출 +기타 부수 효과
- 투자종료 = 고정자산 매각 + 순운전자본 변동

기출 문제

01 A기업은 새로운 기계를 구입하려고 한다. 기계구입비용은 10억 원이며, 기계를 구입하면 생산성이 증가하여 기계의 내용연수인 5년 동안 매년 5억 원의 현금 흐름이 추가로 발생한다. 법인세율은 20%이다. 기계구입으로 인한 투자세액 공제는 1억 원이 있다. 기계는 향후 5년 동안 정액법으로 상각하며, 5년 이후 기계의 잔존가치는 없다고 가정한다. 기계 도입으로 인해 순운전자본은 추가 10억 원이 증가한다. A기계 도입과 관련한 현금 흐름을 추정하시오. 추가로 A기업의 베타는 1.2, 무위험 이자율은 5%, 시장포트폴리오의 수익률은 12%이다. 본 투자를 위해서 A기업은 100% 자기자금으로 자금 조달할 계획이다.

〈기계도입으로 인한 현금 흐름〉

(단위 : 억 원)	0년	1년	2년	3년	4년	5년
기계투자금액	-10					
투자세액공제	1					
세후영업이익		4	4	4	4	4
감가상각비		2	2	2	2	2
순운전자본변동	-10					10
현금 흐름	-19	6	6	6	6	16

3) 투자안의 경제성 평가

현금 흐름을 추정한 이후에는 해당 현금 흐름의 위험을 반영하는 할인율을 계산해야 한다. 100% 자기자본으로 자금을 조달하기 때문에 CAPM을 활용하여 A 기업의 할인율을 계산할 수 있다.

$k_e = 5\% + (12\% - 5\%) \times 1.2 = 13.4\%$

계산한 할인율을 활용하여 본 투자안에 대한 투자 타당성을 평가하여 기계 구입을 할 것인지 하지 않을 것인지 의사결정해야 한다. 투자안의 경제성을 평가하는 방법은 순현재가치법(NPV법), 내부수익률법(IRR법), 회수기간법, 수익성 지수법, 회계적 이익률법이 있다.

(1) 순현재 가치법(Net Present Value Method, NPV법)

순현재가치법은 투자로 인한 현금 유입의 현재가치와 유출의 현재가치를 차감한 순현금유입의 현재가치이다. 순현재가치는 투자로 인해 추가적으로 증가하는 기업가치를 의미한다.

$$NPV = I_0 + \frac{CF_1}{(1+r)^1} + \frac{CF_2}{(1+r)^2} + \dots + \frac{CF_n}{(1+r)^n}$$

의사 결정 기준

- 독립적인 단일 투자안: NPV가 양이면 투자안을 채택하고, 음이면 투자안을 기각한다.
- 상호배타적 투자안: 순현재가치가 가장 큰 투자안을 선택한다. 순 현재가치가 가장 큰 투자안이 투자로 인해 추가적인 기업가치를 가장 높이는 투자안이다.

기출 문제 1의 순현재가치를 계산하여라.

(단위 : 억 원)	0년	1년	2년	3년	4년	5년
현금 흐름	-19	6	6	6	6	16
할인율 (%)	13.4%					
NPV	7.23					

$$-19 + \frac{6}{(1+13.4\%)^1} + \frac{6}{(1+13.4\%)^2} + \dots + \frac{16}{(1+13.4\%)^5} = 7.23\text{억원}$$

장점

- 투자기간의 내용연수 동안 모든 현금 흐름을 고려한다.
- 할인율을 사용하여 화폐의 시간가치를 반영한다.
- 가치가산의 원리가 성립된다.
- NPV가 극대화되면, 기업가치를 극대화할 수 있다.
- 자본비용으로 재투자 되는 것을 가정한다.

단점

- 투자규모가 다른 투자안의 상대적 비교가 어렵다.
- 결과해석에 있어서 복잡하다.

(2) 내부수익률법(Internal Rate of Retur Method, IRR법)

내부수익률은 투자로 인한 현금유입의 현재가치와 현금유출의 현재가치를 일치시키는 할인율이다. 즉 NPV가 0이 되는 할인율이며 연평균수익률을 의미한다.

$$-I_0+\frac{CF}{(1+IRR)}+\frac{CF_2}{(1+IRR)^2}+\cdots\frac{CF_n}{(1+IRR)^n}=0$$

의사 결정 기준

- 독립적, 단일 투자안: IRR이 자본비용보다 크면 투자안을 채택하고, 작으면 투자안을 기각한다.
- 상호배타적 투자안: IRR이 자본비용보다 큰 투자안중 가장 높은 IRR을 갖은 투자안을 선택한다.

기출 문제 1의 내부수익률을 계산하여라.

$$-19+\frac{6}{(1+IRP)}+\frac{6}{(1+IRP)^2}+\frac{6}{(1+IRP)^3}+\frac{6}{(1+IRP)^4}+\frac{16}{(1+IRP)^5}=0$$

: IRR=32.0%

장점

- 투자기간 내용연수 동안의 모든 현금 흐름을 고려한다.
- 화폐의 시간가치를 반영한다.
- 투자에 대한 수익률을 쉽게 알 수 있다.

단점

- 내부수익률로 재투자를 가정하여 재투자 수익률을 낙관적으로 가정한다.
- 현금 흐름의 양상에 따라 IRR를 계산할 수 없거나, 복수의 IRR이 나올 수 있다.
- IRR법에 의해서 선택된 투자안이 반드시 기업가치 극대화하는 투자안이 아닐 수 있다.
- 가치가산 원리가 성립되지 않는다.

(3) 회수기간법

회수기간은 투자로 발생하는 현금 흐름으로 투자금을 회수할 때까지 소요되는 기간이다.

의사 결정 기준

- 독립적, 단일 투자안: 목표 회수기간보다 짧은 경우 투자안을 선택하고, 그렇지 않으면 기각한다.
- 상호배타적 투자안: 목표 회수기간보다 짧은 투자안 중에 가장 짧은 회수기간을 갖은 투자안을 선택한다.

기출 문제 1의 회수기간은 약 4.2년이다.

장점

- 계산이 간편하다.
- 투자안에 대한 위험지표의 역할을 한다.

단점

- 회수기간 이후의 현금을 고려하지 않는다.
- 화폐의 시간가치를 고려하지 않는다
- 목표회수기간 설정이 주관적이다.
- 가치가산의 원칙이 성립하지 않는다.

(4) 회계적 이익률법

회계정보를 이용하여 투자수익률을 평가하는 방법이다.

의사 결정 기준

- 독립적, 단일 투자안: 목표이익률보다 높은 투자안을 선택하고, 그렇지 않으면 기각한다.
- 상호배타적 투자안: 목표이익률보다 높은 투자 안 중에 가장 높은 이익률을 갖는 투자안을 선택한다.

기출 문제1의 회계적 이익률을 계산하여라

회계적 이익률 = 연평균 순이익/총투자액

4/10 = 40%

장점

- 계산이 간편하다.

단점

- 현금을 고려하지 않는다.
- 화폐의 시간가치를 고려하지 않는다
- 목표이익률 설정이 주관적이다.
- 가치가산의 원칙이 성립하지 않는다.

(5) 수익성지수법(Profitability Index Method, PI법)

투자로 얻게 될 현금유입의 현가를 현금유출의 현가로 나눈 값을 말한다. 수익성지수법은 투자원금 1원 대비 수익성을 측정하는 방법이다.

의사 결정 기준

- 독립적, 단일 투자안: PI〉1, 투자안을 채택하고, 그렇지 않으면 기각한다.
- 상호배타적 투자안: PI〉1보다 큰 투자안 중에서 가장 PI 값이 큰 투자안을 선택한다.

기출 문제 1의 수익성지수를 계산하여라

수익성 지수(PI) = 현금유입의 총합의 현가/현금유출의 총 합의 현가

PI = 1.93

장점

- 내용년수 동안의 모든 현금 흐름을 고려한다.
- 화폐의 시간가치를 반영한다
- 투자규모가 다른 투자안의 투자효율성을 알 수 있다.

단점

- 가치가산의 원칙이 성립하지 않는다.
- PI 법에 의해서 선택된 투자안이 반드시 기업가치를 극대화하는 것은 아니다.

〈투자안 평가법 비교〉

	NPV	IRR	PI	회수기간법	회계적 이익률법
장점	· 기업가치를 극대화하는 방법 · 현금 흐름 및 화폐의 시간가치 고려 · 재투자 수익률이 자본비용으로 합리적임	· 투자수익률을 쉽게 알 수 있음 · 현금 흐름 및 화폐시간가치 고려	· 투자1단위당 효율성을 판단할 수 있음 · 현금 흐름 및 화폐의 시간가치 고려	· 위험을 최소화하는 투자의사결정 기준 · 이해하기 쉬움	· 이해하기 쉬움
단점	· 계산이 복잡함 · 결과 해석하는데 어려움	· IRR이 존재하지 않을 수 있거나 여러 개 일 수 있음 · 기업가치를 극대화하는 방법이 아닐 수 도 있음	· 기업가치를 극대화하는 방법이 아닐 수 있음	· 회수기간 이후 현금 흐름 고려 안 함 · 화폐의 시간가치 고려 안 함	· 현금 흐름 사용 안 함 · 화폐시간가치 고려 안 함

4. 자본구조 및 배당이론

기업은 투자활동을 하여 수익을 창출한다. 이러한 투자활동에 필요한 자산을 타인자본과 자기자본을 통해서 조달 받는다. 자본조달 비용으로 인해서 기업에서 고려하는 투자안이 채택되거나 기각될 수 있으므로 기업가치를 극대화하는 최적의 타인자본과 자기자본을 찾는 것이다.

1) MM의 무관련이론(1958)

완전자본시장 하에서 기업가치는 자본구조와 무관하다.

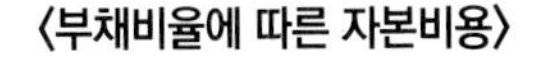

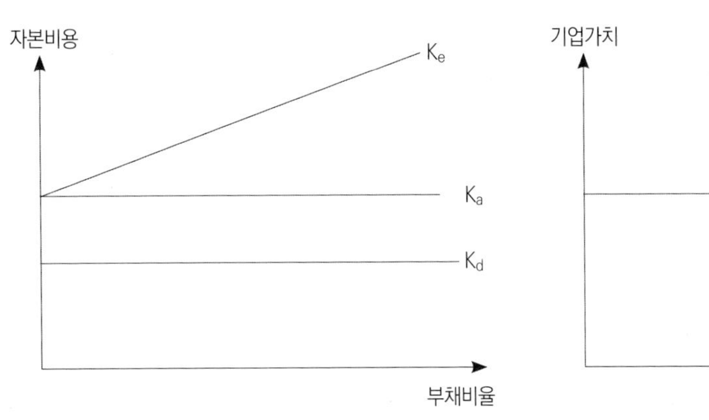

〈부채비율에 따른 기업가치〉

타인자본비용은 일정하다고 가정하였으며, 부채비율이 증가할수록 재무위험이 증가하여 자기자본비용이 증가한다. 그러나 부채비율이 증가할수록 자기자본의 비율이 감소하기 때문에 기업전체의 가중평균자본비용은 일정하다. 그러므로 기업가치도 일정하다. 최적자본 구조는 존재하지 않는다.

(1) MM의 제1명제: 기업가치는 자본구조와 무관하다.

기업가치는 기대영업이익과 영업위험으로 결정되기 때문에 자본구조와는 무관련하다. 기대영업이익과 영업위험이 같다면 자본구조가 서로 다르더라도 기업가치는 동일하다.

(2) MM의 제2명제: 자본구조와 관계없이 가중평균자본비용은 일정하다.

타인자본 비용은 부채비율에 상관없이 일정하며, 자기자본 비용은 부채비율이 증가하면서 상승하지만, 부채비율이 높을수록 자기자본의 비중이 감소하여 기업전체의 가중평균자본비용은 일정하다.

2) MM의 수정이론-법인세가 있을 때(1963)

법인세가 존재하면 부채의 이자비용이 발생하여 법인세 절감효과가 있어 부채비율이 증가함에 따라 기업가치는 증가한다.

〈부채비율에 따른 자본비용〉　　〈부채비율에 따른 기업가치〉

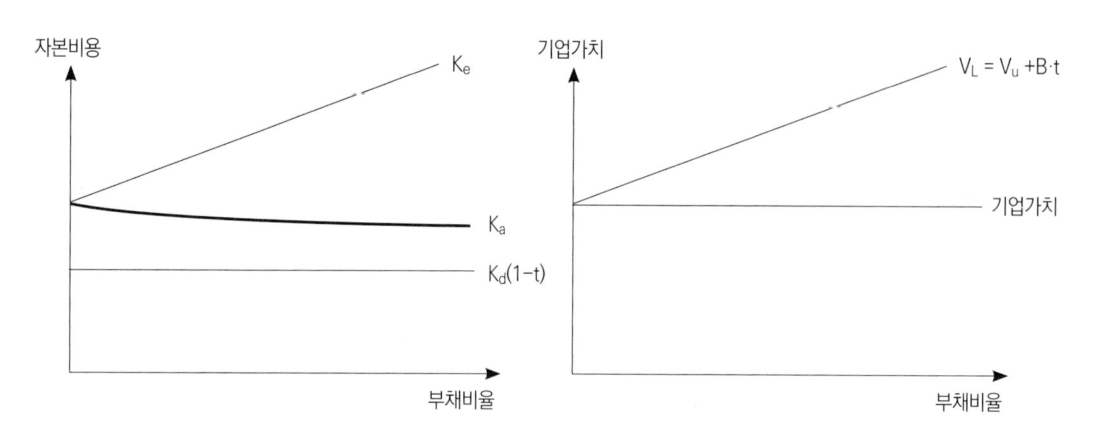

법인세 효과를 고려한 타인자본은 일정하다고 가정하였으며, 부채비율이 증가할수록 재무위험이 증가하여 자기자본비용이 증가한다. 그러나 부채비율이 증가할수록 이자비용의 법인세 효과가 커져서 기업전체의 가중평균자본비용은 감소하며 기업가치는 증가한다. 최적자본 구조는 부채를 가장 많이 사용하는 경우이다.

(1) MM의 제1명제: 부채기업의 가치는 무부채기업의 가치에 법인세 절감효과의 현재가치의 합이다.

(2) MM의 제2명제: 법인세가 존재할 때 부채비율이 증가할수록 자기자본비용이 증가하지만 법인세 효과로 타인자본비용이 감소하여 가중평균자본비용은 부채 사용이 증가할수록 하락한다.

(3) MM이론의 한계

- 완전자본 시장을 가정하고 있다.
- 부채증가시 재무적 곤경비용을 고려하지 않았다.
- 대리인 비용과 정보비대칭 비용을 고려하지 않았다.

3) 최근의 자본구조 이론

MM의 자본구조 이론이 갖는 한계를 고려하여 파산비용, 대리인 비용, 정보 비대칭 비용 등을 고려하여 최적자본구조를 설명하고 있다.

(1) 파산비용과 자본구조이론

부채비율이 증가하면 이자비용의 법인세 절감효과도 증가하지만, 재무위험이 증가하여 파산가능성이 증가하여 기대파산비용도 증가한다. 파산비용은 변호사비용, 회계사비용 등 파산된 기업의 청산 혹은 재조직으로 방생하는 직접비용이 있으며, 파산으로 인하여 기업이미지 훼손, 매출액 감소, 자금조달 비용증가등 과 같은 간접파산비용이 있다.

① 최적 자본구조

부채비율 증가로 인해 이자비용의 법인세 절감효과로 기업가치가 증가하는 요인이 있으며, 기대파산비용 증가로 기업가치가 감소하는 요인이 있다. 최적자본 구조는 기대파산비용과 법인세 절감효과를 고려하여 도출할 수 있다.

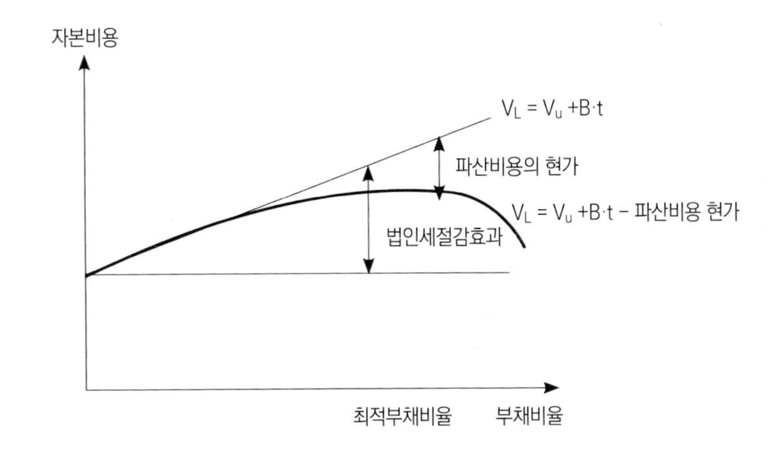

② 한계점

- 기대파산비용을 추정하기가 어렵다

(2) 대리비용과 자본구조이론

주주와 채권자는 기업에 필요한 투자자금을 제공한다. 조달된 자금은 기업의 경영자가 주주와 채권자를 대리하여 운영하며 이것이 자본공여자와 주주와의 대리관계이다. 주인과 대리인과의 이해관계가 일치 하지 않을 때 대리인이 주인의 이익보다는 자기자신의 이익을 추구하면서 발생하는 문제가 대리인 문제이며, 이로 인해 발생하는 비용이 대리비용이다.

① 자기자본의 대리인비용

주주와 경영자간의 이해관계 상충으로 발생하는 비용으로 경영자의 특권적 소비, 비금전적 효익 추구 같은 비용이 발생한다.

② 타인자본의 대리인비용

채권자가 자금을 기업에 공여하여, 기업의 주주가 이를 운영하면서 채권자와 주주와의 이해관계가 다르기 때문에 발생하는 비용이다. 타인자본의 대리인 비용으로는 과소투자와 과대투자의 문제가 있다. 타인자본의 금액이 많을수록 주주는 위험이 큰 투자안을 선호하여 투자 경제성이 없는 투자를 할 유인이 존재하며, 반대로 위험도 작고 경제성이 있는 투자안을 기각하면서 발생하는 비용이다.

③ 최적 자본구조

부채비율이 증가하면 타인자본에 대한 대리인비용이 증가하고, 자기자본에 대한 대리인 비용이 감소한다. 기업의 총 대리인 비용을 최소화하는 점에서 기업가치를 극대화하는 최적자본구조가 결정된다.

(3) 기타 자본구조이론

① 신호전달이론

기업의 자본조달 방법은 기업의 미래 경영성과에 대한 신호로 사용될 수 있다. 기업 내에 수익성이 높은 투자가 있으면 기업은 부채로 자금을 조달하여 투자를 할 것이다. 반대로 기업 내에 수익성이 낮은 투자가 있다면 기업은 부채로 자금을 조달하려고 해도 미래 수익성이 낮아서 자금조달이 어려울 것이다. 그러므로 기업은 자기자본을 통해서 자금을 조달하려고 한다. 그러므로 신호전달이론에서는 최적 자본 구조가 존재하지 않는다.

② 자본조달순위이론

정보비대칭하에서 기존 주주의 부를 극대화하려면 수익성이 있는 투자안의 자금조달을 유보이익, 부채발행, 주식발행의 순으로 조달해야 한다. 자본구조는 이러한 기업의 의사결정의 결과물이기 때문에 최적자본구조는 존재하지 않는다.

4) 배당이론

기업이 영업활동을 통해 이익을 창출하면 기업은 그 이익을 주주에게 배당으로 지급하거나 기업내부에 유보하여 미래 투자 재원으로 활용할 수 있다. 배당정책에 따라 기업가치가 어떻게 변화하는지 확인한다.

(1) MM의 배당이론: 세금이 없을 때

기업은 주주에게 현금으로 배당을 지급할 수 있고, 자사주를 매입하는 방식으로 배당을 지급할 수 있다. 완전자본시장하에서는 어떠한 방법으로 배당을 지급하는지에 관계없이 기업가치의 차이는 없다.

완전시장에서 투자와 자본구조가 결정되면 기업의 배당정책은 중요하지 않으며, 배당정책의 차이는 주주의 부에 영향을 미치지 않는다.

(2) 세금과 배당

주주가 현금배당을 받게 되면 배당에 대한 개인소득세를 납부해야 한다. 자사주를 매입하여 주가가 오른 후에 주주가 이를 매도하면 자본이득에 대한 세금을 납부해야 한다. 만약 두 세율이 동일하다면 주주의 부는 변화가 없으나, 배당소득세율이 자본이득세율보다 높다면 주주는 현금배당보다는 자사주 매입을 선호한다. 이러한 경우 주주부를 극대화하기 위해서는 현금배당을 지급하지 않고 모든 배당은 자사주매입을 통해서 주가를 올려야 한다.

(3) 배당의 고객효과

각 투자자들이 처한 세율에 따라 투자자는 현금배당을 선호하거나 자사주매입을 더 선호한다. 만약 소득이 높아서 한계세율이 높은 투자자는 배당성향이 낮은 주식에 투자를 하며, 한계세율이 낮은 주주들은 배당성향이 높은 주식에 투자할 것이다. 배당의 고객효과는 투자자는 자신이 선호하는 배당정책을 갖는 기업에 투자한다. 어떤 기업이 배당을 높게 지급한다고 그 기업의 가치가 높아지는 것이 아니라 그러한 기업에 투자하는 투자자의 수요와 공급에 의해서 기업의 가치가 결정된다. 이러한 배당의 고객효과로 인해 기업은 자신들의 배당정책을 쉽게 변경하지 못한다.

(4) 배당의 정보효과

기업의 배당은 기업내부의 정보를 외부 투자자에게 알리는 신호이다. 대부분의 기업은 순이익의 변동에 따라 배당정책을 급격하게 변화시키지 않는다. 만약 미래의 이익이 지속적으로 높을 것으로 예상하면, 기업은 배당 지급을 증가시키며, 반대로 미래의 이익이 지속적으로 하락할 것으로 예상하면 배당 지급을 감소시킨다. 배당의 증가는 기업 미래의 수익증가라는 긍정적인 신호로 받아들일 수 있고, 배당의 감소는 미래 수익감소라는 부정적인 신호로 받아들일 수 있다.

5) 효율적 시장가설

자본시장이 효율적이라는 시장에서 거래되는 증권의 가격이 새로운 정보를 신속하고 완전하게 반영하는 정도를 의미한다.

(1) 약형의 효율적 시장가설

현재의 증권가격은 과거의 모든 정보를 반영하였다. 즉, 과거의 정보를 활용하여 투자할 경우 초과수익을 얻을 수 없다. 과거 주가, 거래량 등 수익률 패턴을 사용해서는 초과수익을 얻을 수 없다.

(2) 준약형의 효율적 시장가설

현재의 증권가격은 과거의 모든 정보와 현재의 이용가능한 모든 정보를 반영하였다. 과거의 정보뿐만 아니라 현재 공개된 모든 정보를 이용해서 증권의 초과수익률을 얻을 수 없다. 공시자료, 뉴스 등을 통한 현재의 정보를 이용해도 초과수익을 얻을 수 없다.

(3) 강형의 효율적 시장가설

현재의 증권가격은 과거의 모든 정보, 현재의 공개된 정보, 내부자 정보까지 반영하였다. 그러므로 과거의 정보, 공시 등 현재 대중이 이용 가능한 정보, 기업의 내부자의 정보까지 이용하더라도 증권의 초과수익률을 얻을 수 없다.

(4) 시장 이상현상

① 소규모 주식효과: 규모가 작은 주식이 규모가 큰 주식보다 높은 수익률을 가져온다.

② 1월 효과: 1월에는 대체로 주가가 상승한다.

③ 전 PER 효과: PER가 낮은 기업의 주가상승률이 PER가 높은 기업의 주가 상승률보다 높다

6) 주식 및 채권가치평가

모든 자산의 가치평가는 해당 자산이 창출하는 미래 현금 흐름을 해당 자산이 갖고 있는 위험이 반영된 할인율로 할인한 현재가치이다.

(1) 주식가치평가

주주는 주식을 보유함으로써 기업으로부터 배당소득을 기대한다. 그러므로 기업의 가치는 투자자가 수령할 미래 모든 배당의 현재가치이다.

① 배당 무성장

- 배당이 성장하지 않고 일정하다고 가정함
- $P=\frac{D_1}{K_e}$

② 배당 성장

- 배당이 성장률 g로 지속 성장한다고 가정함
- $P = \frac{D_1}{K_e - g}$

(2) 채권가치평가

채권투자자가 채권을 보유하면 채권으로 발생하는 미래 이자와 원금을 기대할 수 있다. 이러한 원금과 이자를 채권이 갖는 위험을 반영한 할인율로 할인

한 현재가치가 채권의 가치이다. 만약 채권을 만기까지 보유한다면, 이때 예상하는 수익률을 만기수익률이라고 한다.

① 채권의 만기가 정해져 있는 경우

- $P = \frac{C}{(1+r)} + \frac{C}{(1+r)^2} + \cdots + \frac{C}{(1+r)^n} + \frac{FV}{(1+r)^n}$

② 채권의 만기가 없는 경우(영구채권)

- $P = \frac{C}{K_d}$

기출 문제

01 매년 100원의 이자를 지급하는 채권이 있다. 이 채권은 만기가 정해져 있지 않다. 현재 시장이자율은 5%이다. 이 채권의 가격을 계산하시오.

① 1,000원
② 2,000원
③ 3,000원
④ 4,000원

정답 2

100원/5% = 2,000원

02 화폐의 시간가치에 대한 설명으로 올바른 것은?

① 이자율이 높을수록 미래가치는 증가한다.
② 이자율이 높을수록 현재가치는 증가한다.
③ 기간이 길수록 현재가치는 증가한다.
④ 기간이 길어도 미래가치는 일정하다.

정답 1

미래가치는 이자율의 증가함수이다.

03 현대의 경영 특징으로 올바른 것은?

① 소유와 경영의 일치
② 합자회사
③ 소유의 집중
④ 소유와 경영의 분리

정답 4

주식회사는 소유와 경영의 분리를 통해 경영전문화를 가져올 수 있다.

기출 문제

04 재무관리의 기능에 해당하지 않는 것은?

① 투자의사결정
② 자본조달의사결정
③ 배당의사결정
④ 예측의사결정

정답 4

재무관리의 기능은 투자의사결정, 자본조달결정, 배당의사결정, 위험관리가 있다.

05 CAPM의 문제로 올바른 것은?

① 자산이 갖고 있는 체계적위험을 위험으로 고려한다.
② 위험의 측정치는 베타이다.
③ 위험과 수익률의 선형관계를 가정한다.
④ 현실적으로 시장포트폴리오를 구성할 수 없다.

정답 4

존재하는 모든 자산을 각각의 시가총액비율로 만든 시장포트폴리오는 현실에서 구현하기 어렵다.

06 CAPM의 가정에 대한 설명으로 올바르지 않은 것은?

① 무위험이자율로 차입할 수 있다.
② 투자자는 위험회피형이다.
③ 수익률에 영향을 주는 변수는 2개이다.
④ 시장포트폴리오를 가정한다.

정답 3

CAPM은 시장포트폴리오를 통해서 개별 증권의 수익률을 계산하는 방법이다.

기출 문제

07 APT에 대한 설명이다 올바르지 않은 것은?

① 자산 수익률에 영향을 주는 공통적인 요인이 여러 개 있다.
② 시장포트폴리오가 필요하다.
③ 공통요인을 찾는 것은 어렵다.
④ 차익거래를 통해 시장 효율성이 달성된다.

정답 2

다양한 공통요인이 존재하기 때문에 이를 특정해서 찾는 것은 어려운 일이다.

08 SML선보다 위에 있는 자산에 대한 설명으로 올바른 것은?

① 적정가치로 평가되어 있다.
② 평가할 수 없다.
③ 과대평가되어 있다.
④ 과소평가되어 있다.

정답 4

위험대비 수익률이 높으므로 자산가격이 저평가되어 있다.

09 베타에 대한 설명으로 틀린 것은?

① 베타는 이자율변동 위험을 반영하였다.
② 베타는 인플레이션 위험을 반영하였다.
③ 베타는 기업의 파업위험을 반영하였다.
④ 베타는 오일가격 변동위험을 반영하였다.

정답 3

베타는 체계적 위험을 반영하였으며 특정 기업의 파업은 비체계적위험이다.

기출 문제

10 최적자산을 선택하여 투자하는 방법으로 올바른 것은?

① 효율적 포트폴리오 선정 - 무차별 곡선에 맞는 투자
② 효율적 포트폴리오 선정 - 모두가 동일한 자산에 투자
③ 효율적 포트폴리오 선정 - 위험이 가장 낮은 자산에 투자
④ 효율적 포트폴리오 선정 - 수익률이 가장 높은 자산에 투자

정답 1

지배원리에 의한 효율적 포트폴리오를 선정하고, 투자자의 주관적인 효용에 따라 투자안을 선택한다.

11 CAPM의 주요 가정에 해당하지 않는 것은?

① 투자기간은 1기간이다.
② 완전시장을 가정한다.
③ 모든 투자자는 동질적인 기대를 한다.
④ 수익률에 영향을 미치는 요인은 여러 개이다.

정답 4

수익률에 영향을 미치는 요인은 시장포트폴리오이다.

12 NPV와 IRR에 대한 설명으로 올바르지 않은 것은?

① NPV는 가치가산의 원칙이 존재한다.
② IRR과 NPV는 동일한 의사결정을 가져온다.
③ IRR는 NPV를 0으로 만드는 할인율이다.
④ NPV>0, 투자 실행한다.

정답 2

배타적 투자안의 경우 NPV와 IRR은 서로 다른 결론을 가져올 수 있다.

기출 문제

13 투자안의 위험을 고려한 평가방법으로 투자원금이 회수되는 시기를 계산하는 방법은?

① 회수기간법
② 회계적 이익률법
③ 수익성지수법
④ IRR법

정답 1

회수기간법은 투자원금이 회수되는 기간으로 투자안의 실행여부를 판단하는 방법이다.

---

14 영업이익 100억원, 감가상각비 10억원, 투자금액 50억원, 법인세 10억원이 있을 경우 자유현금흐름은 얼마인가?

① 50억원
② 70억원
③ 90억원
④ 110억원

정답 1

FCF = 세후영업이익 + 감가상각비 + 운전자본변동 − 투자금액 = 100억원 − 10억원 + 10억원 − 50억원 = 50억원

---

15 현금흐름 추정 시 고려하지 않아도 되는 것은?

① 증분기준
② 인플레이션
③ 기회비용
④ 매몰비용

정답 4

매몰비용은 과거의 비 관련비용이기 때문에 고려하지 않는다.

기출 문제

16 투자안을 평가하는데 NPV는 10억원, IRR은 10%, 자본조달비용은 15%이다. 이러한 정보를 갖고 해당 투자안에 대해서 어떤 의사결정을 내려야 하는가?

① 자본조달비용이 IRR보다 높기 때문에 투자를 진행한다.
② IRR이 10%이기 때문에 투자를 진행한다.
③ NPV법에 따라 투자를 진행한다.
④ 자본조달비용이 IRR보다 높기 때문에 투자를 진행하지 않는다.

정답 3

IRR방법과 NPV법이 서로 상반되는 결과를 가져올 경우 NPV법에 따라 의사결정을 한다.

17 투자할 수 있는 자금이 제한되어 있다. 이 경우 어떤 투자타당성 방법을 사용하는 것이 올바른가?

① 회수기간법
② 수익성지수법
③ 회계적이익률법
④ IRR법

정답 2

투자금 1원당 NPV가 가장 높은 투자안을 선택하며 이는 수익성지수법을 통해서 알 수 있다.

18 현금흐름 추정 시 유의사항에 해당하지 않는 것은?

① 세후기준으로 현금흐름을 추정한다.
② 증분기준으로 현금흐름을 추정한다.
③ 현금흐름 추정 시 이자비용을 고려하지 않는다.
④ 현금흐름 추정 시 이자비용을 반영한다.

정답 4

이자비용은 자본비용에 반영되기 때문에 현금흐름 추정 시 이자비용은 고려하지 않는다.

기출 문제

19 A기업은 매년 100원의 배당을 지속적으로 지급한다. A기업의 자기자본 비용이 10%일 경우 A기업의 이론주가는 얼마인가?

① 1,000원
② 1,100원
③ 1,200원
④ 1,300원

정답 1

100원/10% = 1,000원

---

20 가치평가를 할 때 고려해야 할 가장 중요한 두 가지로 올바른 것은?

① 수익률, 노동조합
② 만기, 위험
③ 수익률, 위험
④ 수익률, 만기

정답 3

기업가치에 영향을 미치는 요인은 기업의 사업위험과 기업의 현금흐름인 수익률이다.

---

21 효율적 시장가설 중 이세상에 존재하는 모든 정보를 이용해도 초과수익을 낼 수 없는 시장가설은 어느 것인가?

① 강형의 효율적 시장가설
② 약형의 효율적 시장가설
③ 준강형의 효율적 시장가설
④ 자본적 효율적 시장가설

정답 1

강형의 효율적 시장가설에 따르면 주가에는 과거, 현재, 비공개 내부 정보까지 반영되어 있어 어떠한 정보를 이용하여 주식투자를 하더라도 초과수익을 얻을 수 없다.

기출 문제

22 배당에 대한 설명으로 옳지 않은 것은?

① 기업이 자사주를 매입하여 주주에게 배당을 줄 수도 있다.
② 세금이 없다면 배당의 형태는 기업가치에 영향을 주지 않는다.
③ 세금이 존재한다 해도 어떤 투자자이건 배당을 적게 주든 많이 주든 관계없다.
④ 배당을 증가시키는 것은 미래 기업이익이 증가한다는 신호이다.

정답 3

세금이 존재하면 소득세율이 높은 주주는 세후 배당금이 감소하여 주주가치가 하락할 수 있다.

23 법인세가 존재하지 않을 경우 최적 자본구조는?

① 존재하지 않는다
② 파산비용과 법인세의 효과를 고려해야 한다.
③ 자기자본으로만 조달해야 한다.
④ 타인자본을 최대한 많이 이용해야 한다.

정답 1

법인세가 존재하지 않으면 부채비율이 변하더라도 기업가치가 일정하기 때문에 최적자본구조는 존재하지 않는다.

24 대리인 비용이 존재할 경우 발생할 수 있는 문제가 아닌 것은?

① 과대투자
② 과소투자
③ 투자안함
④ 경영자의 자시과시용 소비

정답 3

대리인 비용이 발생하면 과대, 과소 투자문제가 발생한다.

참고문헌

- 김윤상, 2019공인회계사기출문제집, 도서출판현
- 문상식, 최만규, 안상윤, 정용식, 김경환, 박화규, 최창호, 문용, 김창태, 박세홍, 이진우, 양혜정, 병원경영학, 보문각
- 박도준, CPA 경영학, 율곡출판사
- 유형식, 권기홍, 김귀현, 오지영, 우영국, 윤현경, 이수재, 정희라, 황성완, 병원마케팅, 계축문화사
- 윤재홍, 현대경영학원론, 박영사
- 의료행정연구회, 원무관리, 현문사
- 이기호, 경영학원론, 무역경영사
- 이준협, 에센스원무관리, 메디시언
- 임창희, 경영학원론, 도서출판라온